デール・カーネギー流
1分で惹きつける
PRESENTATION
プレゼンの技法

8つのジャンルと40のステップ

名村拓也
Namura Takuya

ぱる出版

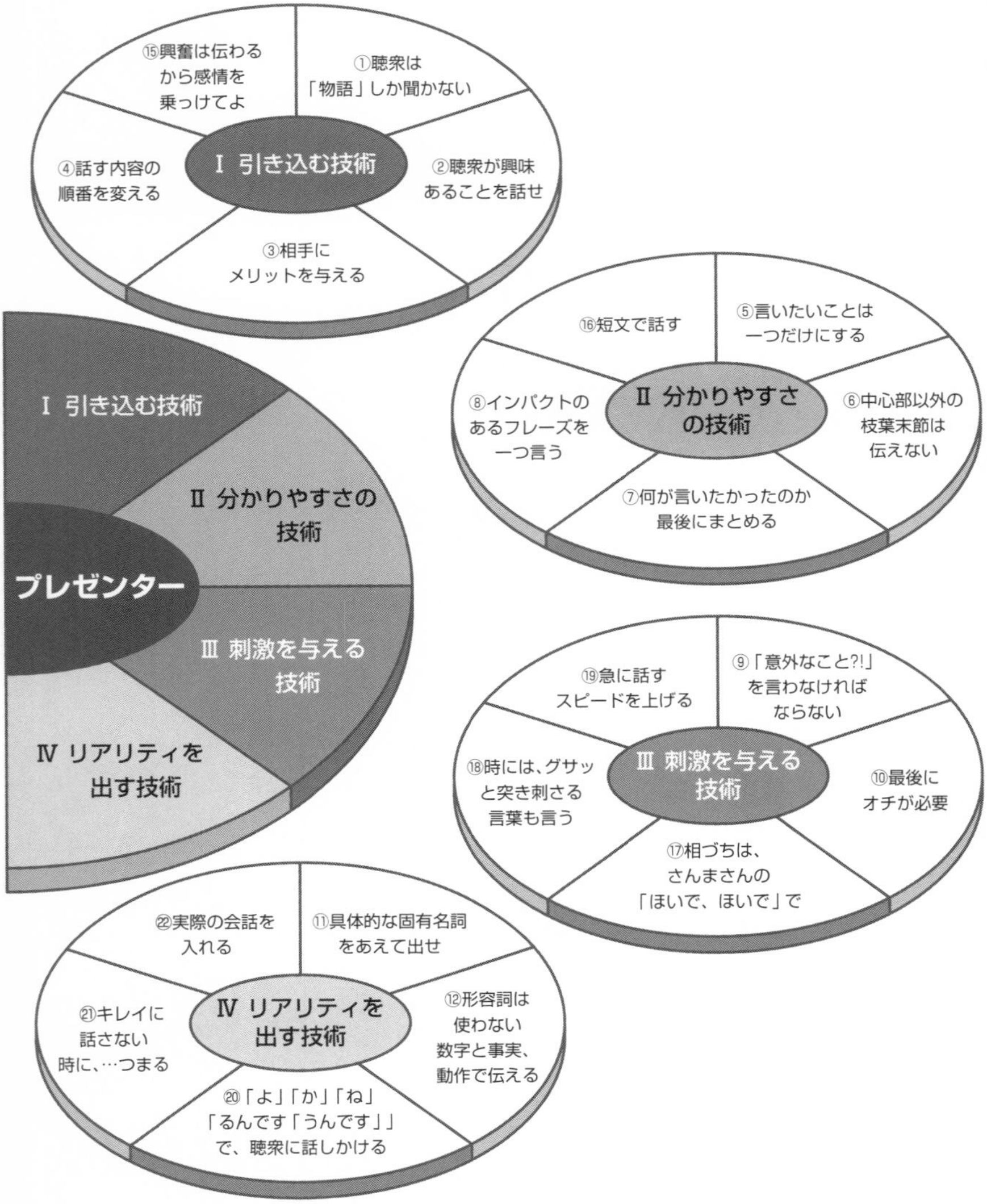
⑮興奮は伝わるから感情を乗っけてよ
①聴衆は「物語」しか聞かない
I 引き込む技術
④話す内容の順番を変える
②聴衆が興味あることを話せ
③相手にメリットを与える
⑯短文で話す
⑤言いたいことは一つだけにする
II 分かりやすさの技術
⑧インパクトのあるフレーズを一つ言う
⑥中心部以外の枝葉末節は伝えない
⑦何が言いたかったのか最後にまとめる
I 引き込む技術
II 分かりやすさの技術
プレゼンター
III 刺激を与える技術
IV リアリティを出す技術
⑲急に話すスピードを上げる
⑨「意外なこと?!」を言わなければならない
III 刺激を与える技術
⑱時には、グサッと突き刺さる言葉も言う
⑩最後にオチが必要
⑰相づちは、さんまさんの「ほいで、ほいで」で
㉒実際の会話を入れる
⑪具体的な固有名詞をあえて出せ
IV リアリティを出す技術
㉑キレイに話さない時に、…つまる
⑫形容詞は使わない数字と事実、動作で伝える
⑳「よ」「か」「ね」「るんです「うんです」」で、聴衆に話しかける

[図解]
プレゼンテクニック 40

目標達成の世界的機関「原田教育研究所」の原田メソッド「オープンウインドウ64」を参照して作成。

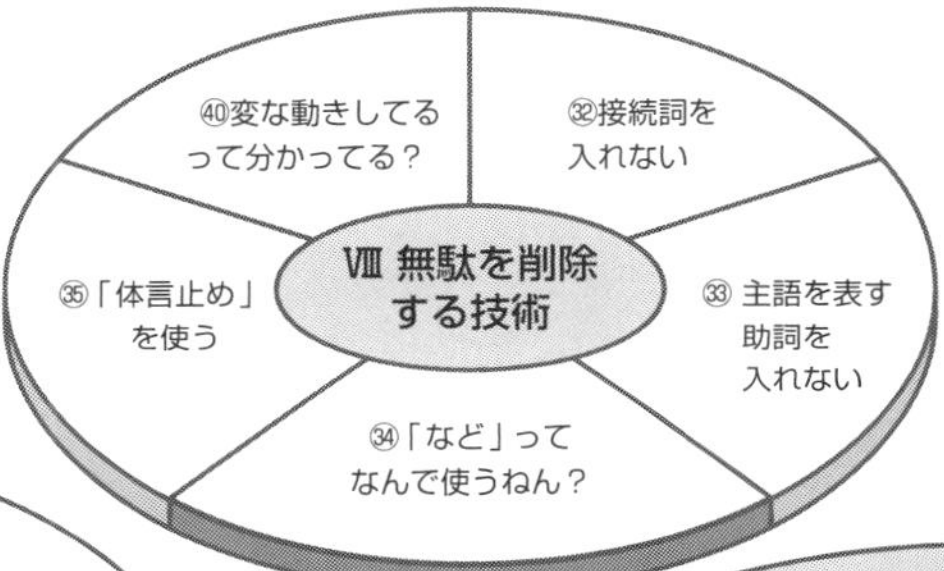

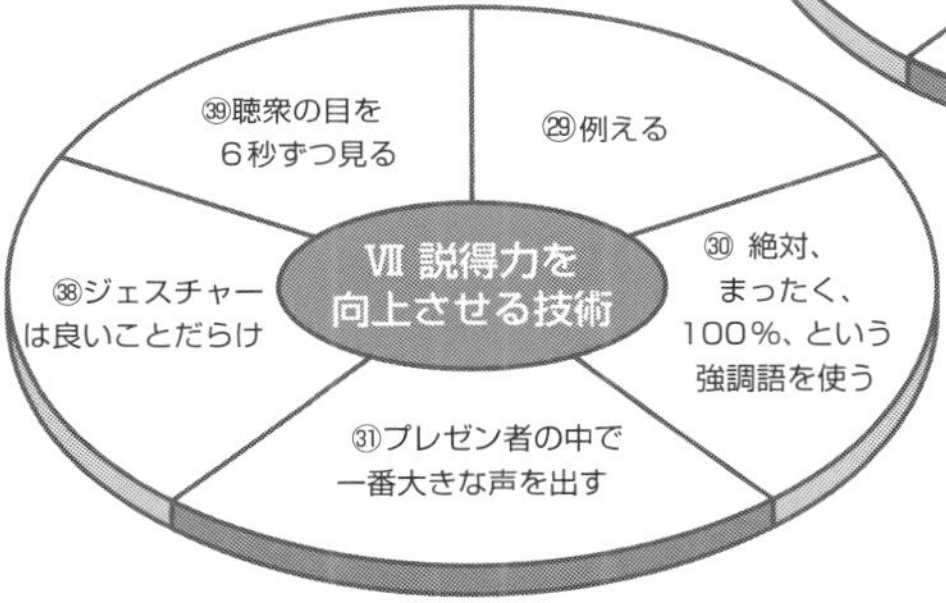

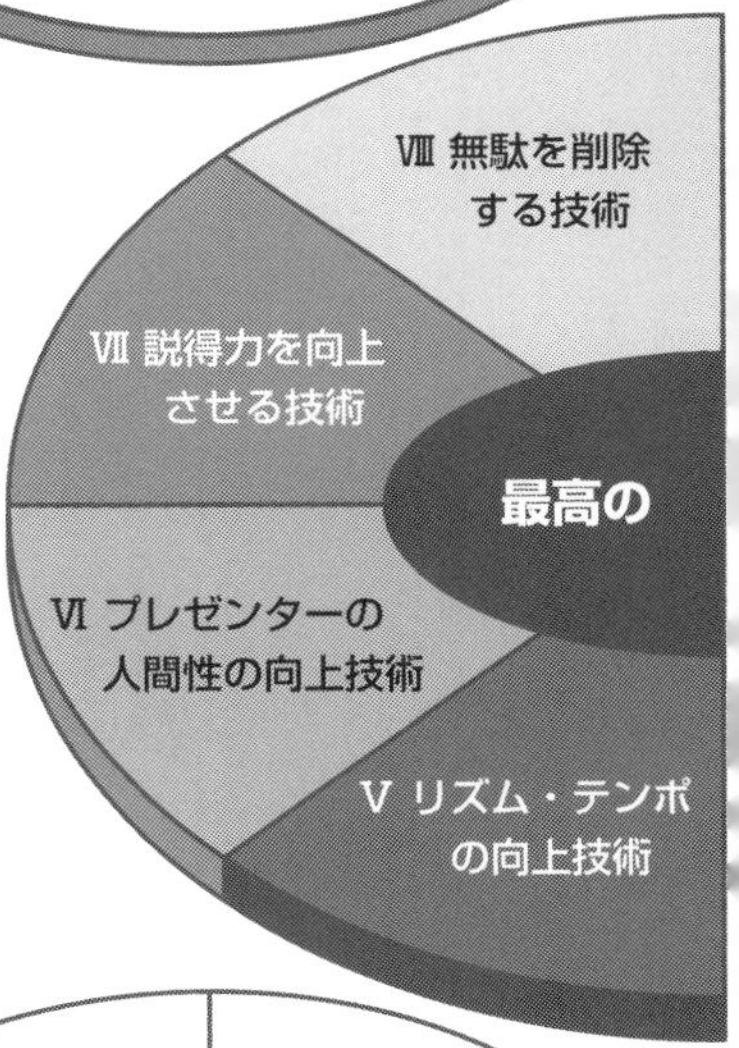

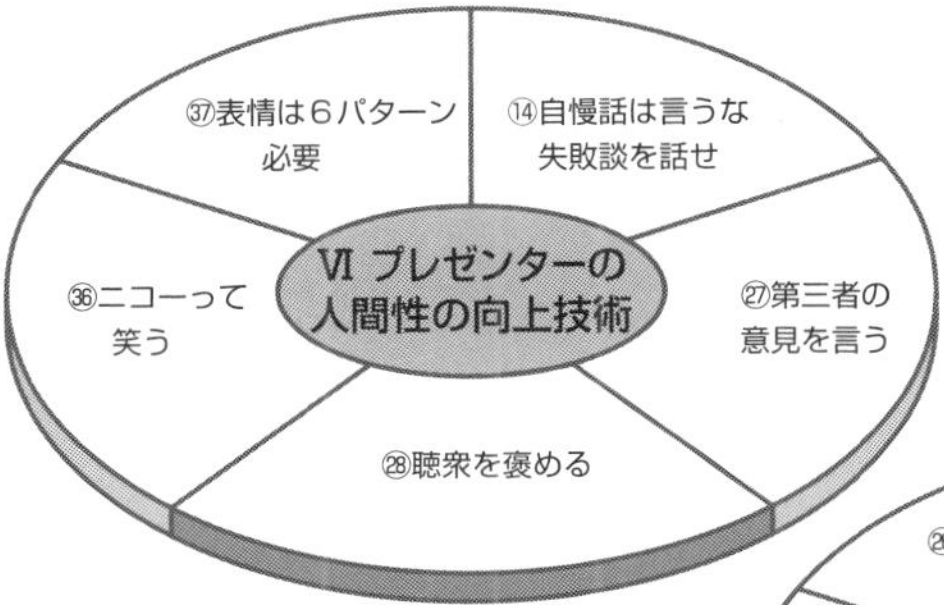

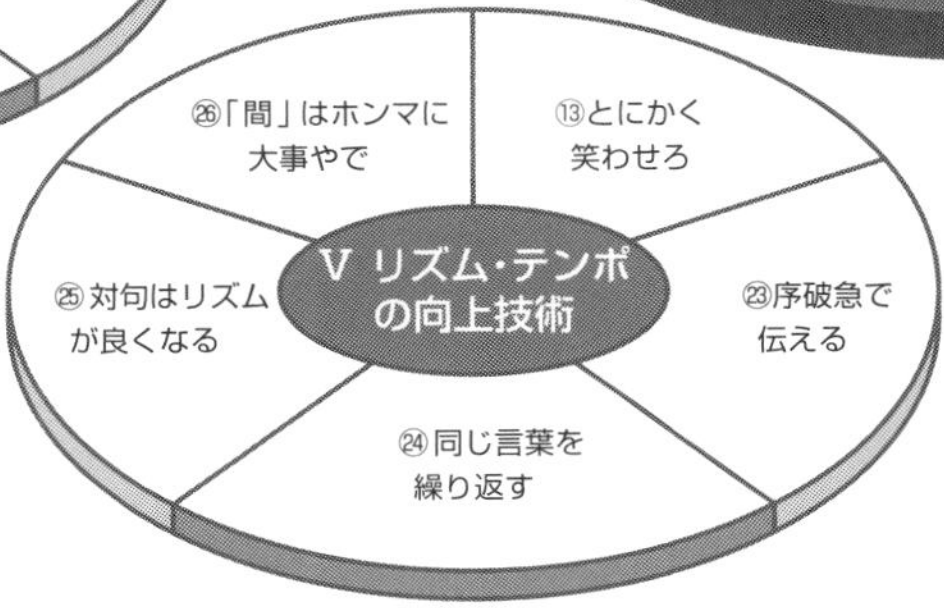

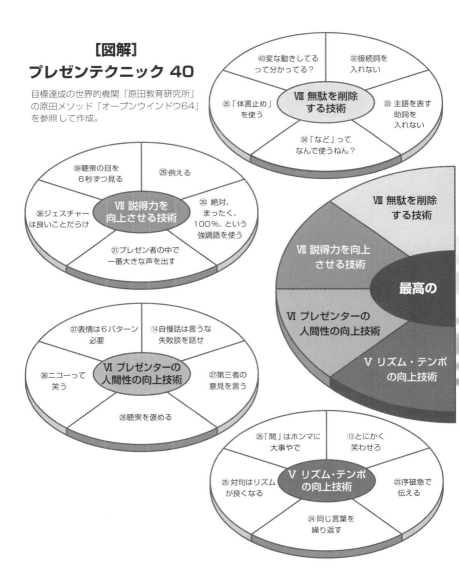

まえがき

著者の名村拓也と申します。
よろしくお願いします。
プレゼンの鉄則として、「即、本題に入るべし」というのがあります。
ということは、「まえがき」が長いのは良くないことになります。
ですので、「まえがき」は3ページで終わらせます。

【自己紹介】
僕は関西生まれの関西育ちです。
ところどころに関西弁が出るのはそれが原因です。
塾の先生として毎日教壇に立っています。
同時にデール・カーネギー・トレーニング西日本　のトレーナーも兼任しています。
プレゼンの楽しさを伝えるプレゼン塾を中高大学生対象に開講しています。

日々、このように学生と社会人の両方の方々から様々な学びを頂いています。


【目的】

この本の目的は、「読者の方をプレゼンの達人にさせること」です。

「まあまあうまいね」レベル、では満足できません。

「あだ名がジョブズになる」レベル、を目指しています。

大丈夫！

40のステップを踏めば誰でもジョブズくんやジョブズさんになれます。

10個くらいステップを踏み外しても問題ありません。

だって残り30個もありますから。


【本の特徴】

部活帰りの眠たい中学生を3時間も起こし続ける塾の授業には話術が必要です。

私が塾で20年間磨いた話術をご紹介します。

そして、世界的人材研修機関であり世界的プレゼン研修機関である「デール・カーネギー・トレーニング」（カバー解説などを参照）、そこで日々磨いているプレゼンテクニックも融合しています。
双方の実践的な「技」を40個紹介しています。
この本全体が僕のプレゼンですので、話し言葉で書かせてもらっています。
さらに中学生でも読めるように、簡単な言葉で書いています。
楽しく読み進めてもらえるように、スベるのを覚悟で笑いも入れていますよ。
ほとんど一行完結にしている理由は、そのほうがわかりやすいからです。
さらに、「桃太郎」の見本と「かぐや姫」の練習問題も付けています。
もし練習問題の解答が知りたかったらプレゼン塾HPを参照してくださいね。
「わかる」と「できる」は違いますので、必ず練習することをお勧めします。

【講座開始まであと2行】
さあ、ではそろそろプレゼン講座始めますよ～。
トイレに行きたい人は、ぜひ今のうちに！

デール・カーネギー流

1分で惹きつける
プレゼンの技法

【8つのジャンルと40のステップ】

もくじ

第1章 惹きつけるプレゼンのジャンルは8つ

第2章 プレゼンは「内容のおもしろさ」が10割！

第3章 プレゼンは「伝え方」が10割！

第4章 プレゼンは「見た目」が10割！

企画協力▼インプルーブ 小山睦男
カバーデザイン▼EBranch 冨澤 崇
図版作成▼原 一孝
レイアウト▼Bird's Eye

第1章

惹きつけるプレゼンのジャンルは8つ

Ⅰ　引き込み
Ⅱ　わかりやすさ
Ⅲ　刺激を与える
Ⅳ　リアリティを出す
Ⅴ　リズム・テンポ
Ⅵ　プレゼンターの人間性
Ⅶ　説得力
Ⅷ　無駄の削除

プレゼンテクニックを次の8つのジャンルに分けています。
分けることで、自分の磨くべき分野が明確になるからです。

1 引き込む

プレゼンは、まずは、聴衆を前のめりにさせないとダメです。
「この話おもしろそう〜」って思わせないといけない。
あっ、そうだ、その前に大事なことを言うのを忘れてました。
「聴衆は、プレゼンを聞く気が、ない」
これ、絶対にわかっててほしいことなんです。
もう一度言います。
残念ながら、「聴衆は人の話を聞く気なんか、ない」——これが現実です。
だからこそ、聞く気がない人を、振り向かせることが最初のミッションです。

スマホをいじってる人を振り向かせましょう。

「どうせつまらないプレゼンするんでしょ？」

って思ってる人に「えっ？　ウソ？　めちゃくちゃおもしろい！」

って思わせて、自分から顔を上げさせましょう。

これこそがプレゼンの醍醐味でもあります。

Ⅱ わかりやすさ

そもそもプレゼンにおいて「話がわかりやすい」というのは当たり前の話です。

「わかりにくい」ことは、プレゼンでは致命傷になります。

残りのどの分野が良くても、わかりにくければアウトです。

だから、この分野はプレゼンターとしては絶対に克服してください。

では、どうしたらわかりやすくなるのか？

それをあとで説明しますので待っててくださいね。

Ⅲ 刺激を与える

引き込む話をして、わかりやすい話をしても、刺激がないと聴衆は寝ちゃいます。
最初は起きてても、途中で寝ちゃいます。
だから、30秒に1回は、刺激を与えていきましょう。
グサグサっと相手の脳に刺激を与えましょう。
プレゼンは、「観覧車」ではダメ、「ジェットコースター」であるべきです。
別に「お化け屋敷」でもかまいませんが。

Ⅳ リアリティを出す

リアリティっていうのは、ここでは簡単にいうと「現実味」ってことです。

「ライブ感」というか、「体温を感じる」というか。
ネチョっとしてるというか。
アナログというか。
プレゼンにはそれが必要なんです。
プレゼンって、プレゼンターにとっては大事な話ですが、聴衆にとっては逆です。
どうでもいい話なんです。まさに他人事《ひとごと》。
ただ、他人事でもリアリティがあれば、聴衆はのめり込んでくれます。
テレビのドキュメント番組、見入ってしまうでしょ？
「警視庁24時」とか「6男3女11人の大家族スペシャル」とか。
あれです！

Ⅴ リズム・テンポ

塾で授業しているときのことです。

説明中にたった1秒、変な「間《ま》」が空きました。
すると一気に、生徒はシラケたんです。
サーっと引きました。
あくびをし出しました。
退屈な空間になりました。
たった1秒の「間《ま》」ですよ。
いや、1秒より短いかも。
そんな一瞬の「間《ま》」のズレでその場の雰囲気が一気に変わってしまうのです。
恐ろしいでしょ？
漫才でもそうらしいです。
ボケとツッコミのテンポが一瞬でも崩れると、聞いてられない漫才になります。
漫才はテンポがすべて！って言う芸人さん、多いですもんね。
プレゼンもまったく同じ。
リズムやテンポが、プレゼンの出来に大きく影響します。
ぜひこれをマスターして、リズムネタ芸人に負けない活躍をしましょう。

Ⅵ プレゼンターの人間性

この人の話だけは聞きたくないわ〜って思ったこと、ないですか？

10秒話せば、「いい人」か「悪い人」かが聴衆に伝わります。

1分話せば、「人となり」が完全に伝わります。

人間的に素晴らしい人の話は、スーっと入ってきます。

「この方が仰《おっしゃ》ってるんだから、絶対に正しい！」

「この方の言うことはメモしておこう！」

と、なりますよね。

ということで、もしあなたが極悪非道の人間であるのなら、プレゼンは無理です。

「素晴らしい人間なのに、その素晴らしさを伝える術を知らない」

のであれば、ぜひこの分野を学んでください。

そして実のところ、私は、プレゼンターにとって人間性を鍛えることが一番大切なことだと思っています。

普段、人の悪口ばかり言っている人が、「相手を尊重しましょう」と言っても、聴衆の心に響きません。

普段、自己研鑽していない人が、「努力して夢をつかみましょう!」と語っても、言葉が滑ります。

テクニックも大事ですが、人間力向上に勝る技はありません。

前に立つにふさわしい考え方、行動をしましょう。

VII 説得力

プレゼンの達人は、相手に上手にモノゴトを伝えるだけの人ではありません。

相手を動かすこともできてしまう人なんです。

「この人の言ってることを自分もやってみよう!」と聴衆に思わせること。

これができたら一流のプレゼンターの仲間入りです。

これもちょっとしたステップでできます。

商談を抱えている社会人の方には、この分野をぜひとも極めてもらいたいですね。

Ⅷ 無駄の削除

思ってる以上に、我々はプレゼン中、無駄な言葉、動作をしています。
僕も当初は無駄な動作や発言がたくさんありました。
この分野はプレゼンのダイエットをするところだと思ってください。
スリムなプレゼンを目指していきましょう。

以上が8つのジャンルです。

この8つのジャンルで、40個のプレゼンテクニックを分類しています。
それを一つひとつ説明していきますね。

【魅せるプレゼン８つの技術】

「Ⅰ　引き込む技術」

ステップ①　聴衆は「物語（ストーリー）」しか聞かない
ステップ②　聴衆が興味あることを話せ
ステップ③　相手にメリットを与える
ステップ④　話す内容の順番を変える
ステップ⑮　興奮は伝わるから、感情を乗っけてよ

「Ⅱ　わかりやすさの技術」

ステップ⑤　言いたいことは１つだけに絞る
ステップ⑥　中心部以外の枝葉末節は伝えない
ステップ⑦　何が言いたかったのか最後にまとめる
ステップ⑧　インパクトのあるフレーズを１つ言う
ステップ⑯　短文で話す

「Ⅲ　刺激を与える技術」

ステップ⑨　「意外なこと?!」を言わなければならない
ステップ⑩　最後にオチが必要
ステップ⑰　相づちは、さんまさんの「ほいで、ほいで」で
ステップ⑱　時には、グサッと突き刺さる言葉も言う
ステップ⑲　急に話すスピードを上げる

「Ⅳ　リアリティを出す技術」

ステップ⑪　具体的な固有名詞をあえて出せ
ステップ⑫　形容詞は使わない。数字と事実、動作で伝える
ステップ⑳　「よ」「か」「ね」「るんです」「うんです」で聴衆に話しかける
ステップ㉑　キレイに話さない。時に、……つまる
ステップ㉒　実際の会話を入れる

「Ⅴ　リズム・テンポの向上技術」

ステップ⑬　とにかく笑わせろ
ステップ㉓　序破急で伝える
ステップ㉔　同じ言葉を繰り返す
ステップ㉕　対句はリズムが良くなる
ステップ㉖　「間（ま）」はホンマに大事

「Ⅵ　プレゼンターの人間性の向上技術」

ステップ⑭　自慢話は言うな。失敗談を話せ
ステップ㉗　第三者の意見を言う
ステップ㉘　聴衆を褒める
ステップ㊱　ニコーって笑う
ステップ㊲　表情は６パターン必要

「Ⅶ　説得力を向上させる技術」

ステップ㉙　例える
ステップ㉚　絶対、まったく、100%、という強調語を使う
ステップ㉛　プレゼン者の中で一番大きな声を出す
ステップ㊳　ジェスチャーは良いことだらけ
ステップ㊴　聴衆の目を６秒ずつ見る

「Ⅷ　無駄を削除する技術」

ステップ㉜　接続詞を入れない
ステップ㉝　主語を表す助詞を入れない
ステップ㉞　「など」ってなんで使うねん？
ステップ㉟　「体言止め」を使う
ステップ㊵　変な動きしてるってわかってる？

第2章

プレゼンは「内容のおもしろさ」が10割!

◎プレゼンで一番大事なのは「ネタ」

プレゼンで一番大事なのは、内容＝ネタです。

「今日、朝起きて、３食食べて、寝ました」

この内容をおもしろいプレゼンに仕立てることは難しいです。

でも、

「朝ＵＳＪに行って、昼ＴＤＬで遊んで、夜ＮＨＫを観た」

これだったらなんとかなりそうですけどね。

ここで言いたいのは、

「いいプレゼンをするには、いいネタを用意するべきである」ということなんです。

おもろしいネタもないのに壇上に立ったら、あなたも地獄、聴衆も地獄です。

僕は過去に「Ｍ－１グランプリ」に出たことがあるんです。

大阪の心斎橋劇場の舞台に、吉本の方たちと一緒に立たせてもらいました。

大したネタもないのに……。

2分間の漫才でしたが、それはそれは……もう地獄以外の何ものでもなかったです。

2分間、1つの笑いも得られませんでした。

さぞかし静かだったんでしょう、赤ちゃんがスヤスヤ寝てました。


別に漫才とプレゼンをまったく同じものだとは思っていません。

ただ、「聴衆をいかに引き付けられるか」という点では極めて似ていると思います。

ですので、まずは、「100人が聞いたら90人がおもしろい！」と思えるネタを用意するべきです。


「おもしろい」というのは「興味が湧くネタ」ということですよ。

ぜひネタ選びを入念に行いましょう。

ただここではネタ選びの指導は紙面の都合上できません。

今回は「用意したネタをどうやって脚本に落としていくか」を学んでいきます。

お寿司屋さんで例えたら……、
仕入れてきたマグロを「ヅケ」にするのか、
はたまた昆布で締めるのか、

を、考える作業のことです。
別にカルパッチョでもいいけどね。
竜田揚げも捨てがたいなあ。
って、そんなことはどうでもいいんです。

ネタが良くても調理方法を間違ったら、プレゼンの評価は下がってしまいます。
そこまでできてやっと、第3章の「伝え方のテクニック」に行けるんです。
さあ、美味《うま》い竜田揚げ、食べに行きましょう！
いや、間違えた。
さあ、ネタの引き立たせ方を勉強しに行きましょう！

◎参考文章①［桃太郎］（今後、見本として使います）

むかしむかし、あるところにおじいさんとおばあさんがいました。
おじいさんは山へ芝刈りに、おばあさんは川へ洗濯に行きました。
おばあさんが川で洗濯していると、ドンブラコドンブラコと、川の上流から大きな桃が流れてきました。

「おや、これは良いおみやげになるわ」

おばあさんは大きな桃をひろいあげて、家に持ち帰りました。

桃を食べようと割ったところ、桃の中から元気な男の子が飛び出しました。

子どもがいなかったおじいさん、おばあさんは大変喜びました。

桃から生まれた男の子に桃太郎と名付け、大事に育てました。

桃太郎はすくすくと育ち立派な青年になりました。

ある日、鬼に金品を奪われ困り果てる村人を見て、桃太郎は鬼退治に行くと言い出しました。おじいさんとおばあさんは反対します。

しかし、ついには桃太郎の熱意に折れ、きび団子を作って送り出します。

おばあさんの作ってくれたきび団子を腰にぶら下げ鬼ヶ島へと出発しました。

旅の途中で、イヌに出会いました。

「桃太郎さん、どこへ行くのですか？」

「鬼ヶ島へ、鬼退治に行くんだ」

「それでは、お腰に付けたきび団子を1つくださいな。お供しますよ」

イヌはきび団子をもらい、桃太郎の家来になりました。

その後、サル、キジが順番に現れ、きび団子を欲しがりました。

桃太郎は、鬼ヶ島へ同行することを条件に、イヌと同じようにきび団子を分け与えます。

イヌ、サル、キジの3匹は桃太郎の家来となり船で鬼ヶ島へと向かいました。

鬼ヶ島では鬼たちが酒盛りの真っ最中でした。

「みんな、油断するなよ。それ、かかれ！」

イヌはおしりにかみつき、サルは鬼の背中をひっかき、キジはくちばしで鬼の目をつつきました。

そして桃太郎も、刀をふり回して大あばれです。

とうとう鬼の親分が、

「まいったぁ。まいったぁ。降参だ、助けてくれぇ」

と、手をついて謝りました。

奇襲を仕掛けた桃太郎と3匹の家来は大勝利。

鬼が悪行を重ねて集めた宝物を台車で引き、村へと持ち帰りました。

おじいさんとおばあさんは、桃太郎の無事な姿を見て大喜びです。

そして3人は、宝物のおかげでしあわせにくらしましたとさ。

◎参考文章②［かぐや姫］（練習問題のときに参考にしてください）

むかしむかし、ある山に、おじいさんとおばあさんが住んでおりました。

竹取りのおじいさんが山で竹を取っていると、1本の竹の根元がピカピカと光っていました。

おじいさんは不思議に思いその竹を切ってみました。

なんと竹の中からかわいらしくて小さな女の子が出てきました。

これは神様からの授かりものに違いないと思ったおじいさん。

女の子を連れて帰ることにしました。

そしておばあさんと大事に育てました。

かぐや姫と名付けられたその女の子。

わずか3カ月ほどで、それはそれは美しい女性に成長しました。

美しいかぐや姫の噂《うわさ》は瞬く間に広がり、5人の立派な若者から結婚を申し込まれました。

しかし、結婚する条件として、

「仏の御石《みいし》の鉢を持ってきてください」

とかぐや姫は言いました。

その他の若者にも、
燕《つばめ》のこやす貝、
火ネズミの皮衣、
蓬莱《ほうらい》の玉の枝、
龍の頸《くび》の玉を持ってくることを条件に挙げましたが、誰も果たすことができませんでした。

かぐや姫の噂は、ついに帝《みかど》の耳にも入りました。

帝は、かぐや姫をひと目見て結婚してほしいと申し出ました。

しかし、かぐや姫は帝の願いさえもお断りしたのです。

やがて十五夜が近づくと、かぐや姫は月を見ながら泣いていました。

おじいさんとおばあさんがその理由をたずねました。

するとかぐや姫は、

「かぐや姫は月の都の姫であること」

「8月の満月の夜に月から迎えがやってくること」

を打ち明けました。

また、おじいさんとおばあさんと別れるのが悲しいのだと話しました。

おじいさんとおばあさんは、月の使者からかぐや姫を守るために、帝に相談しました。

帝も承知して、全兵力を使って家の周りを守りました。

しかし、月の使者がやってくると、兵士たちは動けなくなってしまいました。

そして、たくさんの天人《てんにん》が、雲に乗って下りてきました。

「おじいさん、おばあさん。お別れするのは悲しいですが、仕方がありません。今までのご恩は、決して忘れません。さようなら……」

かぐや姫は、お別れに不死の薬を帝とおじいさんたちに渡しました。

そうして、かぐや姫は天人と一緒に雲に乗り、月の輝く高い空へと帰っていきました。

残された人々は、悲しみをこらえてただ見送るばかりでした。

ステップ①

聴衆は「物語（ストーリー）」しか聞かない

「I　引き込む技術」　難易度★☆☆

【哲学は誰も聞かない】

プレゼンで、難しい哲学的な話を聞きたい人はいるでしょうか？

たとえば、

「学問は対象を持たなければならず空想の世界では成り立たない」とか。

「科学は文化を尊重しつつ事象に有用に働きかけなければならない」とか、です。

これ、難しすぎませんか？

しかも哲学的な話なので、寝ちゃいそうですよね。

【聴衆は物語しか聞かない】

プレゼンを聞いている聴衆は、「哲学」を聞きたいわけではないんです。

聴衆は「物語（ストーリー）」を聞きたがってるんです。

大事なのでもう1回言いますね。

聴衆は「物語（ストーリー）」を聞きたがってるんです。

仮に、プレゼンで「科学は文化を尊重するべき」ことを伝えたいのだとしましょう。

そんな場合であっても、それをそのまま「哲学」で話すのではないんです。

哲学を「物語」にして話すべきなんです。


【物語で話す理由】


科学者のケンダル・ヘイブンさんがこんなことを仰っています。

「私たち人類は、10万年もの間、物語（ストーリー）を話すことで情報を伝達してきた。だから、私たちの脳は話を物語として捉えるようにできている」ってね。

他にもたくさんの偉い方が「物語で話せ」と仰っています。

デール・カーネギー・トレーニングでも同様の練習を行います。

【映画 vs. 講演会】

みなさんは高いお金を払って、映画を観に行きますよね。

よく考えてみると……あれって、全部、「物語（ストーリー）」ですよね？

『君の名は。』や『君の膵臓をたべたい』『タイタニック』『ライオンキング』。

ほらね。

逆に、難しい話をする講演会に2000円払って行きたい人いらっしゃいますか？

ほとんどいらっしゃらないでしょ？

映画『タイタニック』と『タイタニックはなぜ沈んだか？』の分析講演会だったら、どっちにお金払いますか？

やっぱり映画『タイタニック』ですよね。

だってストーリーがありますもん。

タイタニックの映画、僕は当時お金払って映画館に3回行ったんですよ。

3回目なんか映画開始10分の豪華客船が出港するシーンで、このあとどうなるか知ってますから、すでに泣いちゃってました。

まあ、それは置いといて、とにかく聴衆は「物語（ストーリー）」が好きなんです。

いや、もっというなら「物語（ストーリー）」しか聞かない、と思っておいてください。

【そもそも「物語（ストーリー）」って何？】

「物語（ストーリー）とは何か？」ってことをいっておきますね。

簡単にいうと、「時」「登場人物」と「事件」が出てくるもの、です。

「大学2回生の夏、友人の濱口一成君と山澤孝昭君と僕との3人で舞鶴旅行に行ったんです。レンタカーを借りて。さあ舞鶴の海岸に着いてバーベキューするぞーってなったときに衝撃的なことが起きたんです。なんと……」

こんな感じで話すのが「物語（ストーリー）」。

このあと、3人がどうにかなってしまうのが「物語（ストーリー）」。

続きが聞きたくなるのが「物語（ストーリー）」。


【プレゼンを全部「物語（ストーリー）」で話したらイケテない】


ただし、プレゼン全部を物語にしたらおかしいですよ。

なぜなら、最初から最後まで自己主張なしのプレゼンは、ただのストーリーテラーですからね。

プレゼンの最初は普通に自己主張をすればいいです。

で、途中に物語（ストーリー）を挟むといいんです。

【例として、「笑顔が大事！」という主張に、物語を入れてみる】

1つ「例」を示しておきますね。

みなさん、笑顔はしあわせを呼び込みます。（主張）

時には出世にも絡んでくるのです。

こんな話をご存じですか。

1961年、人類初の有人宇宙飛行を目指したソ連（現ロシア）のロケット「ボストーク1号」。

乗員の最終選考に残ったのはガガーリンとチトフでした。

選考スタッフは体重が2キロ軽いことを理由に乗員をチトフに決めようとしました。

しかし、責任者のコロリョフ博士は「だったら荷物を2キロ下ろせ。最初の乗員はガガーリンだ」と答え、その理由をこう述べました。

「ガガーリンは笑顔がとてもいい」

博士は、「素晴らしい笑顔はいつも心が安定している証拠」だと考えたのです。

もし、ガガーリンの笑顔が乏しかったとしたら、あの有名な「地球は青かった」というセリフは聞けなかったかもしれません。

笑顔はすべての人に与えられた魅力ですので、ぜひ使ってください！（主張）
※参考『人生はワンチャンス』著者水野敬也・長沼直樹

【見本】主張に、物語「桃太郎」を挟み込んで、主張を裏付ける

みなさん、マスターマインドという言葉をご存じですか。
これはあのナポレオン・ヒル博士が唱えたことで有名な言葉です。
マスターマインドとは……。
「2人以上の共通した願いや目標を持った集団」を表します。
「このマスターマインドの協力なしで偉大な功績を残した人はいない」
と、博士は仰っています。
日本人は「和」を大切にする国民です。
「そのとおりそのとおり」と博士の主張にうなずく方も多いでしょうね。
そういえば、日本には、こんな有名な話が残ってますよね。
昔話「桃太郎」です。
その中でこんなエピソードがありましたよね。

桃太郎は旅の途中で、イヌに出会います。

「お腰に付けたきび団子を1つくださいな。お供しますよ」

サル、キジが順番に現れ、同じくきび団子を欲しがります。

桃太郎は、鬼ヶ島へ同行することを条件に、きび団子を分け与えます。

イヌ、サル、キジの3匹は桃太郎の家来となり船で鬼ヶ島へと向かいます。

イヌはおしりにかみつき、サルは鬼の背中をひっかき、キジはくちばしで鬼の目をつつきました。

4人の連携プレーが功を奏し、桃太郎と3匹の家来は大勝利。


以上が桃太郎の主要な場面です。

さて、昔話には金太郎、浦島太郎、などたくさん有名な話が残っていますね。

でも、なぜ桃太郎が一番有名なのか。

それは唯一マスターマインドの考えを示した昔話だからではないでしょうか。


【練習問題】あなたのプレゼンの一部に物語かぐや姫を入れ込みましょう

ステップ②

聴衆が興味あることを話せ

「I　引き込む技術」　難易度★☆☆

【カツ丼が好き】

いきなりですが、僕は「カツ丼」が大好物なんです。
カツ丼を助手席に置いてドライブできるくらいなんです。
そんな僕にパスタの美味《おい》しい店をプレゼンしてきても、悪いけど聞いてませんよ〜。
耳からパスタが2、3本出て行ってま〜す。
だってまったく興味ないですもん。

【興味あることしか聞かないのが人間】

人は興味ない話には、まったく乗ってきません。
みなさんだってそうですよね？

興味のない話、わざわざ時間割いて聞きたいと思わないですよね？
みんな同じです。
サッカー少年が興味あるのは宝塚歌劇団ではなく、メッシ選手なんです。

【自分に関係あることだと思わせる】

まずは、
聴衆が興味のないことを、プレゼンターがいくら力説しても無駄だということです。
「ん？ これって私に関係あることだ！」
って思わせて、そこから興味を持たせないとダメなんです。
そう思わせることができたら、半分以上プレゼンは成功したようなもんです。
あとは放っておいても、みんな耳ピーン、で聞いてくれます。

【対象は誰なのかを把握する】

そこで大事になってくるのは、聴衆が誰なのかを知ることなんです。
聴衆が高校生の場合、大学受験や恋愛、ジャニーズのことを話すといいでしょう。
聴衆が大学3回生だったら就活のことを話せば、メモしながら聞いてくれます。

聴衆が40代金融関係者だったら、「半沢直樹」を出せば間違いないはずです。
ちなみに僕が小学1年生を教えるときは、アンパンマンの話で惹きつけます。
ほぼ100％の確率で聞いてくれます。
アンパンマンは鉄板マンです。

【再確認!】
もう1回言いますと、プレゼンは相手の興味のあることを話すんですよ。
高校生に介護の話がウケるって本気で思ってるんだったら、センスないです。
でも50代にだったら介護の話は非常に有効です。
ネタが悪くなければ、話す対象を変えればうまくいきますよ。

【結論】
聴衆の年齢層、男女の比率を考えて、聴衆の興味のあるネタを提供すること。

【見本】 小学生が興味あるネタを最初に持ってきて、「桃太郎」をプレゼンしてみる
コンビニのおにぎりの具で一番好きなのってなんですか？

えっ？　真弥ちゃんはツナマヨネーズ？
由美ちゃんはシャケで裕子ちゃんはおかか？
おー、義明くんはから揚げ、ね。
なるほどなるほど。
結構、分散するもんやね～。
ちなみに、僕は、明太子なんですけどね。
みなさん、もし、自分と異なる意見を持ってる人がいたらどう思いますか？
シャケって答えた人は、明太子って答えた人をどう思う？
そうですね～、「変わってるなあ」とか「なぜ明太子？」とか思うよね～。
でもこれからの時代は自分と違う考え方を認めようって時代になってくるんです。
これを「多様性」と言います。
いろんな考え方があっていい、ということやね。
確かにそのほうがいろんな発想が出てきておもしろいよね。
おもしろいだけでなくて、それが問題を解決したりもする。
今までの発想だったら解決しなかった問題が見事に一件落着することがある！

ところでみなさんは、昔話の「桃太郎」知ってるでしょ？
桃太郎と鬼、どっちが好き？
おー、そやね～、やっぱり正義の味方桃太郎が多いね。
でも、じつは桃太郎が正義の味方かどうか怪しい、って意見もあります。
それを言ったのは、なんと福沢諭吉さんなんです。
福沢諭吉さんって、何万円札に載ってる人かわかる？
そうそう、一万円札ね。
まあ「万円札」ってなったら一万円札しかないんやけどね……。
なんと、日本を代表する作家の芥川龍之介さんも同じことを言っておられるんです。
原文には鬼が悪さをしたという記述がない、っていうのが理由らしいですよ。
ここで言いたいのは、桃太郎にだっていろんな見方があるってことなんです。
そして、いろんな見方があっていいのだ！ということをわかってください。

【練習問題】高校生が興味あるネタを導入に使って、かぐや姫をプレゼンしてみよう

ステップ③

相手にメリットを与える

「I　引き込む技術」　難易度★☆☆

【自分の言いたいことだけを言うのがプレゼンと違いますよ】

「相手にメリットを与える」って意味わかります？
シャンプー買ってきて相手にあげるってことじゃないですよ。
……。
ボケたのに、放っておかれたら恥ずかしいからちゃんとツッコんでくださいよ。

メリットを与えるっていうのは、相手が得する話をすることです。
だって、そもそものプレゼンの目的はこれですもん。
プレゼンの語源が「プレゼント」ってことを知ってたら納得できるでしょ？
話聞いてもらって、聴衆におみやげを持って帰ってもらうのがプレゼンです。

おみやげにはいろんな種類があって、感動や笑い、有効な情報があります。
なんのおみやげも聴衆に与えなかったら、次、誰も聞いてくれなくなります。
デール・カーネギー・トレーニングではこれをみっちり学習します。
自分が言いたいことだけを伝える自己満足のプレゼンはやめましょう。

【相手の立場になってメリットを考える】

返報性の法則って知ってます？
相手に何かしてもらったらお返ししたくなる心理状態のことなんですよ。
ＳＮＳで「いいね」押してもらったら、その人に「いいね」を返したくなるでしょ？
それぞれそれ！
試食コーナーでソーセージ食べたら、買わないと悪い気がするでしょ？
それもその一種らしいです。
プレゼンでも同じですよ。
メリットのある話をしてくれてる人の話は、聴衆は必ず聞きます。
プレゼンの世界でも返報性の心理はちゃんと働いてるんです。
だから、聴衆にとってメリットは何か？をつねに考えておくべきですね。

60代女性にとってのメリットのある話は？

小学高学年の男子にとって得する話は？

30代既婚女性にとってのお得な情報は？

このように、つねに感性を磨いておきましょう。

ちなみにアラフィフの僕には育毛剤情報がメリットですので、提供待ってます。

【見本】 桃太郎を使って、音楽好きの高校生にメリットを与えるプレゼンをします

もし、桃太郎が単独で鬼ヶ島に行ったら勝てていたのか？

こんなことをよく考えるんです。

僕の予想は「桃太郎は負けていた」、なんです。

童話学者でも戦力分析家でもないので、明確な理由なんてありませんけどね。

勝手な予想ですが、4人で戦ったってところが勝因だろうって思うんです。

4人の集団がもっとも「結束力」が高まるんじゃないか？って思うんです。

日本にも偉大な4人組グループが多く存在するでしょ。

Mr．Children、スピッツ、ウルフルズ、GReeeeN、Official髭男dism、SEKAI NO OWARIとかね。

確かにミスチルの桜井さんもスピッツの草野さんも個人として素晴らしいですよ。
でも4人グループだったからこそ今の地位を築かれたのではないでしょうか。
ハーバード大学の研究者、故リチャード・ハックマン氏はこう述べています。
50年近くチームのパフォーマンスの研究に専念した結果、
「大半の任務に関して、4〜6人が、チームの人数としては最適である」と。
これ以上増えると、パフォーマンスの低下や個人間の摩擦が増えるらしいです。
確かに人数が多いと、調整作業ばかりに時間が取られますもんね。

音楽好きの高校生の諸君、バンドのメンバーは4〜6人がいいです。
3人組バンドの方々、あと1人呼んできましょう!
これが個人の能力を最大限に出せますので。
将来の髭男（ヒゲダン）はあなたです!

【練習問題】かぐや姫を使って、20代の女性にメリットのあるプレゼンをする

ステップ④

話す内容の順番を変える

「I　引き込む技術」　難易度★☆☆

【ジャンルによって順番を考えるべし】

「わかりやすい説明」をしたい場合は、「結論」は最初に言うべきです。
ビジネスの世界では、「まず結論から話す」のは常識ですもんね。
ただ、プレゼンで「聴衆を感動させたい」場合、「オチ」は最後です。
何があっても絶対に最後です。
アガサ・クリスティの推理小説と同じで、犯人は最後に明らかにしないとダメです。
「説明型のプレゼン」なのか、「感動させるプレゼン」なのかを見極める。
これが重要なんです。
野球の監督が、相手チームによって打順を変えるでしょ？
それと一緒です。

【オチを最後に言う話】

紙面を取りますが、ちょっと例文を挙げてみますね。

みなさん、「ねずみ男」って知ってます？
ゲゲゲの鬼太郎に登場する憎めないキャラが有名ですが、今回は違うんです。
今回お話しするのは、なんと、アメリカの「ねずみ男」なんです。
アメリカに「ねずみ男」がいたなんて知らなかったでしょ？
実は、アメリカの「ねずみ男」というのは、貧しい絵描きの青年のことなんです。
この青年、貧しいアパートで絵を描いて下の道路で絵を売ってたんです。
でもぜんぜん売れない。
道行く人々は絵を一瞥《べっ》しただけでまったく買ってくれない。
この青年はついに絵描きで成功することをあきらめるんです。
そして、とうとう田舎に帰ろうと家財道具をまとめ始めました。
そんなとき、ふと部屋の片隅を見ると、１匹のねずみがこっちを見つめてるんです。
「なんだこいつ！　俺のことをバカにしやがって！」
と青年は忌ま忌ましく思います。

でも電車賃くらいになればいいや、と青年は思い返し、ねずみをスケッチします。
それをいつもの道路にダメ元で並べてみると……。
なんと即売れちゃったんです！
訳がわからずも気を良くしたこの青年、追加で何枚か描きます。
これまた飛ぶように売れるんです。
そして、どんどん絵が売れるので青年は田舎に帰るのをやめてしまいます。
自信ができた青年、このあともねずみの絵をどんどん描いて売っていきます。
彼はこのねずみの絵がきっかけで大成功したんです。
この青年のことを「アメリカのねずみ男」というのです。
どうですか、驚きましたか？
えっ？
驚かない？　おかしいな？
アッ、この青年の名前を言うのを忘れていました。
この青年の名前を……
ウォルト・ディズニーといいます。

【見本】桃太郎の桃にちなんで、話す順番を変えて、「えっ！」と思わせるプレゼンをする

節句というのは、中国の陰陽道の考え方らしいです。

1・3・5・7・9の奇数を「陽」として、同じ一桁の数が重なるときには、強い「陰の力」を発するって恐れられてたんですって。

奇数は「陽」、だけど重なると「陰」って、おかしな考え方ですよね。

だから、1月1日（元日）、3月3日（桃の節句）、5月5日（端午の節句）、7月7日（七夕）、9月9日（重陽）には良くないことが起きないように、身を清め、お供えをして、邪気を払ったんですって。

旧暦の3月3日は、今でいうところの4月。

桜や桃の花が咲いて、1年で一番いい季節ですね。

そんないい季節に女の子をお祝いするのが「桃の節句」。

通称、ひな祭りの日ですね。

ひな人形を飾るあの行事。

一気に座敷が華やかになりますね。

一番メジャーなひな壇は、7段飾りのものらしいですよ。

7という数字は縁起がいいからということらしいです。
ここでも、陰陽道の良い数字が付いて回るんですね。
そういえば桃太郎が家来にした動物の数が3匹というのも関係あるのかも。
ところで、桃太郎伝説といえば岡山県ですよね。
それで、なんですけどね。
実は、それぞれの都道府県には決まった番号が付いているって知ってました?
東京都なら「13番」、沖縄県なら「47番」って具合にです。
総務省が定める「全国地方公共団体コード」っていうのがあるんです。
そこで決まってるんですって。
また、「日本工業規格（ＪＩＳ規格）」でも同じように決まってるんですって。
それらを調べると……。
なんと、岡山県は……、
「33番」なんです！

【練習問題】かぐや姫にちなんで、話す順番を変えて、「えっ！」って思わせるプレゼンをする

ステップ⑤

言いたいことは1つだけに絞る

「Ⅱ　わかりやすさの技術」　難易度★☆☆

【ポスターの内容は1つ】

火の用心のポスター、見たことあります？

あのポスター、火の用心のことだけ描いてあるでしょ？

もしあのポスターの下半分に、「ポイ捨て禁止」って書いてあったら、どうです？

「火の用心」が言いたいのか、「ポイ捨て」を注意したいのかわからないでしょ？

【プレゼンの内容は1つに絞る】

プレゼンでも同じ。

2つも3つも言いたいことを言おうとしたらダメなんです。

「1つのプレゼン、1つの主張」これを覚えておいてください。

2つも3つも伝えると話がボケてしまって、聴衆は結局1つも覚えてくれません。

みなさんだってそうでしょ?

高校生の方は、今日の学校の授業で何を習ってきたか言えますか?

6時間授業だったら、各授業の習ったことを5個ずつ合計30個完璧に言えますか?

(思い出し中……思い出し中……思い出し中……)

言えないでしょ?

結局、聞いている人ってそんなにたくさん覚えられないんです。

覚えていたとしてもせいぜい各授業1個ずつです。

昼の弁当に例えたら

「おろし醤油ハンバーグ鯖の塩焼きトンカツ弁当」みたいなもんですよ。

何食べたのかわからないでしょ?

よくわからない例えでしたが、とにかくプレゼンのテーマは1個に絞ること。

2、3個言いたくても我慢すること。

よろしいですか?

えっ?

この本には、40個もテーマがあるって?

この理論であれば40個もあったら何も覚えてもらえないのではないのか？

ですって？

……。

そ、そ、それに気づいてほしくてあえて40個にしてるのです……。

な、な、何を仰ってるんですか！


【悪い見本】主張が3つもあってよくわからないプレゼン

3匹はきび団子をもらっただけで、なぜあそこまでの活躍をしてみせたのか。

ここに一番の疑問を感じます。

ですので、これについてプレゼンします。

最近の若者は就職活動時に、労働条件を厳しい目でチェックしますよね。

「休日は年間何日あるのか」、「有給休暇はキチンと取れるのか」、

「給与システムはきっちりしてるのか」、「職場の雰囲気はどうか？」

とかね。

それはそれは細かいところまでチェックします。

個人的には、**条件よりも「社会にどう貢献したいのか」を考えるべきだ**と思います。

それに対し、イヌさん、サルさん、キジさんのことといったら……。
3匹ともあの報酬であの活躍ですよ、もうホントに信じられませんよね。
社長の桃太郎氏も、心ガンガン動かされたでしょうね。
「どれだけひたむきに仕事をするか」これが大事ですよね。
臨時賞与は確実として、あの3匹の管理職への昇進は即決だったでしょう。
で、最初の問いに戻りますが、3匹はなぜあそこまで懸命に戦ったか。
それは、やはり「桃太郎氏の人間性」に行きつくと思うんです。
「桃太郎さんのためなら命差し出しても惜しくない!」
そこまで思わせた人間性が桃太郎にはあったんでしょうね。
みなさん、3匹の活躍の原動力はやはり桃太郎氏の人間性だと思います。
みなさん、**人間性を鍛えてください**。
そうすれば、命を懸けて戦ってくれる部下を集めることができます。

【練習問題】かぐや姫にちなんだプレゼンで、言いたいことを1つに絞る

ステップ⑥

中心部以外の枝葉末節は伝えない

「Ⅱ　わかりやすさの技術」　難易度★☆☆

【人の話に興味はない】

ここでもう1回大事なことを言っておきますね。

「人は他人の話には興味がない」

これです、またしてもこれです。

残酷ですが、人の本音はこれなんです。

みんな、一番興味あるのは「自分自身」。

みんな、人の話を聞くのではなく、自分の話を聞いてもらいたいんです。

【細かいことは誰も聞いてない】

枝葉末節っていうのは、「本質から外れた小さなこと」という意味です。

プレゼンで、本筋から離れた枝葉末節を伝えても、誰も何も聞いてません。

たとえば、僕の経歴を今から伝える場合、小学校のことから話し始めたら、どうですか？

ちなみに本筋とはまったく関係のないものだとしましょう。

そんな話聞かないでしょ？　聞きたくないでしょ？

でもこれ、プレゼンターはよくやっちゃうんです。

特に、話をするのが好きなプレゼンターが……。

これをやっちゃうから話が長くなるんです。

それで嫌われちゃう。

もう一度言いますけど、中心部以外の枝葉末節を伝えようとしたらアウトです。

本筋ではないことの詳細は、言わない！　省く！　カットする！

言いたくなってもガマン！

ドラえもんで例えると、
登場人物はドラえもんとのび太とジャイアンに絞るんです！

しずかちゃんとスネ夫はカットしてください。

【2分間で言いたいことを言う練習】

聴衆の集中力は2分間が限界ともいわれてます。
ニュースが70秒から90秒でまとめられてるのはそのせいらしいですよ。
校長先生の話にいいイメージがないのは、長すぎるからです。
15分以上喋《しゃべ》り倒す卒業式の式辞にいたっては、出席者の目は死んでます。
だから、プレゼンも2分間で話し切る必要があります。
その練習を積めば、自然に枝葉末節を取ることができるようになります。
なぜなら枝葉末節を話してたら時間がなくなるからです。
デール・カーネギー・トレーニングでは2分間は厳守で、徹底的に練習します。
僕もプレゼン本番前、実は10回ほど練習して枝葉末節をカットしてるんです。
お腹の脂肪のカットはとうの昔にあきらめてますが。

【見本】　桃が流れてくるくだりはカットして、中心部についてのみ語る

「桃太郎」は「桃太郎が家来を連れて鬼を退治した」ことを伝える昔話ですよね。
でも私が一番気になるのが、なぜ鬼を退治したのか、ってことなんです。
多分、多くの人が、「えっ？　鬼が悪いことしたからだろ？」って思っておられるんでしょう?
でもね、実は具体的に鬼が悪さをしたとは書いてない本が多いんです。
勝手に桃太郎が攻めていった、という記述の本も多いんです。
ここ一番大事なとこですよね。
もし鬼が何も悪いことをしてなかったら、桃太郎によるただの襲撃事件ですもん。
子どもに聞かせる昔話であればキチンと鬼の悪行を書かないとダメでしょ。
村人の作物をすべて奪ってしまった、とか。
かわいい子どもたちを誘拐していった、とか。
このような記述があると、正義感の強い子どもたちは共感してくれますもんね。
「桃がドンブラコと……」という記述よりも、鬼の悪行を書かないといけませんね。
ハッキリ悪事を書いて、善悪の構図をわかりやすくする。
そうすると桃太郎を読んで、正義感にあふれる子どもたちが増えると思います。

【練習問題】かぐや姫に絡むプレゼンで、中心部以外の枝葉末節は省く

ステップ
⑦

何が言いたかったのか最後にまとめる

「Ⅱ　わかりやすさの技術」　難易度★☆☆

【ほとんどの方のプレゼン、何が言いたいのかわからないんです……】

申し訳ないですが、ほとんどの方のプレゼンは何が言いたいのかわかりません。
高校生や大学生のプレゼンだけではないですよ。
大人も、なんです。
ショックでしょうが、事実です。
そう言う私だって気を抜くとそうなってしまいます。
だから、このステップを必ず学んでもらいたいのです。
「最後に言いたかったことをまとめる」――これです。
これをするのとしないのとでは、「わかりやすさ」に雲泥の差が出ます。
ビールジョッキを倒す前とあとのテンションくらいの差が出ます。

ただし、「まとめ」が長かったらダメですよ。
まとめは「10秒以内」です。
ウサイン・ボルトが走り始めてゴールテープ切るまでの間です。
端的に、ズバッといきましょう！

【まとめる言い方】

デール・カーネギー流のおススメのまとめの言い方があります。
『ですから、みなさん。○○してください』
『そうすれば、□□できます！』
これです。
これを最後に言えば、あなたのプレゼンの言いたいことが伝わります。
プレゼンの目的は、聴衆にこちらが望む行動を起こしてもらうことですよね？
たとえば、「募金してもらう」とか、「低反発枕を購入してもらう」とか。
だったら、最後に行動を促すまとめ方をしておかないとダメですよね。
『ですから、みなさん。プレゼンの最後には、話をまとめてください』
『そうすれば、相手はちゃんと理解してくれます！』

【見本】桃太郎にちなんだプレゼンで、何が言いたいのか最後にまとめる

桃太郎さんは鬼を退治したスーパーヒーロー！

誰しもが桃太郎の話をそう捉えていますよね。

では鬼の立場から見たらどうなんでしょう。

突然、サルやキジが襲撃してきたんですもんね。

子どもをあやしていた母鬼はびっくりしたでしょうね。

「鬼太郎、早くお逃げ。お母さんが攻撃されてる間にできる限り遠くに！」

「お母さん、死んじゃうの？」

「お母さんは大丈夫。あとで必ず迎えに行ってあげるから」

「いやだ、いやだ。お母さんと一緒にここに残る！」

「何を言ってるんだい！　ここに居ちゃあんたも殺されちゃうよ。お母さんの最後のお願い。早く逃げなさい！」

……こんな会話が繰り広げられたかもしれないでしょ？

そう思うと複雑ですよねえ。

一方ではヒーローと呼ばれるけれども、一方では襲撃者になる。

立場や見方によって、肩書きは大きく違ってくるんですよね。
肩書きも違うし、語られるストーリーも違ってくる。
よく江戸幕末の時代劇がテレビで放映されるでしょ。
薩長目線で描いたストーリーと、江戸幕府側から描いたストーリー。
登場人物が善人にもなり悪役にもなりますよね。
西郷隆盛は新しいリーダーなのか、それとも襲撃者なのかよくわからなくなります。
でもそれは仕方がないことで、当事者だったら片方の目線に偏ってしまいますよね。
大事なのは「別の見方も存在することをわかっておくこと」だと私は思うんです。
自分の見方が絶対的に正しいとは思わないことです。
この考えが広まると、自然に争いが減ると思うのです。
ですから、みなさん！
一方的な見方をするのはやめましょう。
そうすれば、争いは減ります！

【練習問題】かぐや姫に絡めたプレゼンで、最後に主張をまとめる

ステップ⑧

インパクトのあるフレーズを1つ言う

「Ⅱ　わかりやすさの技術」　難易度★★☆

【格好いいセリフ】

アメリカのシンガーソングライターのビヨンセが、

「私はギャンブルが大嫌い。でも1つだけ賭けてもいいと思えるものがあるの。それは自分自身よ」

って言ったんだって。

カッコいいいいいいい！

こんなセリフ言ってみたいなあ！

カリスマ経営者の松下幸之助さんは、

「人は燃えることが重要だ。燃えるためには薪が必要である。薪は悩みである。悩みが人を成長させる」

って言葉を残しておられます。
苦労されて大成功を収めた方の発言は重いですねえ。

【内容は忘れられるが、インパクトのあるフレーズは残る】

プレゼンの内容なんかは、聴衆は1週間後にはほとんど忘れてます。
あなたもそうでしょ？
1週間前に聞いたプレゼンの内容、ちゃんと覚えてます？
ビヨンセは冒頭の台詞以外に何か言ったはずですが、残念ながら残ってません。
悲しいけどそういうもんなんです。
内容は残らないですが、胸にグサッと刺さるフレーズは一生残ります。
せっかくプレゼンするんだったら……
せっかく一生懸命プレゼンで話す内容を考えるんだったら……
聴衆の心に一生残る、インパクトのあるフレーズを言いたいですよね。

【インパクトのあるフレーズは用意しておくべし】

インパクトのあるフレーズは用意しておかないと出てこないですよ。

壇上で話しながらポンっと出てきてほしいところですが、無理です。長友選手のセンタリングのように、ドンピシャのタイミングでは出てきません。僕も今までの経験の中で、そんな瞬間に出会えたことがありません。万に一つの可能性に賭けるよりも、事前に作っておいたほうが確実ですよね。

僕も先ほど1つ思いつきました！

「僕は長ったらしいプレゼンが大嫌い。まったく覚えてない。でも1つだけ覚えてることがあるの。それはインパクトのあるフレーズよ」　byナムンセ

【見本】物語「桃太郎」でインパクトあるフレーズを言おうとするイヌとキジ

桃太郎が3匹にきび団子をあげたときにどんな会話したのか興味ないですか。

（関西弁バージョンでお楽しみください）

イヌくんとは……

イヌ　「自分の顔見てたら、何するかわかるで。行くんやろ？　鬼ヶ島」

桃太郎「それはあかんて。自分には子どもさん居てはるし連れては行けへん」

イヌ　**「男は一生に一回は命捨ててでもやらなアカンときがあるもんや。俺にとって**

それが今ってことやんか」

こんな感じだったと思います。

意外にサルくんとは難しい交渉だったのかもしれませんね。

サル　「いやいやいや、それはアカンやろ。桃太郎さんよ。きび団子1個だけで鬼退治させるって、冗談はよし子さんやで」

桃太郎「いや、仕方ないねん。景気も悪いし。これでも頑張ってるほうやで」

サル　「頑張ってるって、そら、口ではナンボでも言えるわいな。でも世の中、ぶっちゃけ、誠意ってアレやん？」

桃太郎「自分、また金かいな～。がめついおサルやなあ～」

サル　「イヤイヤきび団子1個で鬼退治させるって、ある意味あんたが鬼やで」

キジさんは一言だったと思いますよ。

キジ　**「桃太郎さん！　何も言うな。生きて帰ろうぜ！」**

【練習問題】「かぐや姫」で、インパクトのあるフレーズを言おうとするかぐや姫

ステップ9

「意外なこと!?」を言わなければならない

「Ⅲ　刺激を与える技術」　難易度★★☆

【お決まりの話はしてはいけない】

結婚式で仲人が、

「新郎の健介君は成績も優秀で、スポーツマンで、困っている人がいたら放っておけない優しい……」

とかお決まりのフレーズを言い出したら、みなさんは、最後まで聞きますか？　聞かないでしょうね。

目の前の食事用のナプキン、クルクル丸め出すでしょ？

卒業式で校長先生が、

「桜の蕾《つぼみ》が……」

って言い出した瞬間、前の席の尚江《なおえ》さんに肩トントンし出すでしょ。

【プレゼンは相手を驚かせなければならない】

定番の話なんか誰も聞きたくないんです。

プレゼンも当然同じです。

人前で話す話は、絶対に聴衆の予想を裏切らないといけません。

わざわざ聴衆の時間を奪って、自分に注目させてるんですよね。

だったら聴衆に「え！」か「信じられない！」、「うそ！」と言わさないとダメです。

視聴率の高いテレビ番組は、すべて予想を裏切る展開をしています。

【常識の逆を言う】

「食事制限はまったく意味がない」「運動は逆に体に悪い」

「取締役全員が反対した商品は売れる」「『いらっしゃいませ』は要らない」

こんな感じで常識の逆のことを言われると人は驚くんです。

でも、ちゃんと裏付けを持って話さないとダメですよ。

無茶苦茶言えばいい、というものではないですからね。

常識の逆といえば、漫画「ドラゴン桜」なんか、それのオンパレードですよね。

「東大に参考書など必要ない」

「いいかお前ら、詰め込み教育こそ真の教育だ」

ドキッとするし、この先を聞きたくなるし。

普段から物事を深く考えてたらこういうセリフも出てくるはずなんです。

「普段から物事を深く追究する」——これが大切になってきます。


【見本】桃太郎に関して、意外なことを伝える

桃太郎のお供は、イヌ、サル、キジ。

こんなの常識、誰でも知っていますよね。

でもなぜこの3匹の動物が選ばれたのか、ってご存じですか。

猫でも良かったんじゃないの？

犬よりトラのほうが強かったのに……。

このようにいろいろご意見があるでしょう。

でも、イヌ、サル、キジが選ばれたのには理由があるんです。

そのうちの1つの説をお伝えします。

実は、鬼を倒すにはこの3匹の動物が適してたんです。

なぜか？
まず、鬼は北東の方角に住んでいるとされていました。
日本の昔の言い方でいえば、丑寅《うしとら》の方角ですね。
だから、鬼は牛の角とトラ柄のパンツを履いてるように描かれるんです。
これは結構有名な話ですよね。
で、鬼退治に行ったのは「イザナギが鬼に投げつけた桃」からちなんだ桃太郎。
ここで鬼退治に「桃」が見事に絡んできます。
十二支を円を描くように当てはめていくと、丑寅の反対方向はなんでしょう？
未申《ひつじさる》です。
未《ひつじ》では頼りないから、申《さる》に近い酉《とり》と戌《いぬ》がいい！
そういうことから、これら3匹を連れていったといわれています。
ちなみに鬼退治に出かけたのは秋。
なんと、申月《しんげつ》、酉月《ゆうげつ》、戌月《じゅつげつ》なんです。

【練習問題】かぐや姫に関して、「意外なこと」を調べてプレゼンする

ステップ⑩

最後にオチが必要

「Ⅲ　刺激を与える技術」　難易度★★★

【落語が万人に喜ばれる理由】

落語っておもしろいでしょ。

おもしろい理由は、話の最後にオチがあるからです。

どう落とすのか、そこがワクワクしてきますよね。

もしあなたのプレゼンに毎度オチがあれば、立見客が出るくらい大盛況になります。

【新近効果】

新近効果って知ってます？

アメリカの心理学者N・H・アンダーソン氏が提唱した効果です。

「最後に与えられた情報でその人の印象が決定されやすい」っていう理論。

日本にも「終わり良ければすべて良し」っていうのがあるでしょ。
この2つから、プレゼンの結末が良かったら印象が良くなることがわかりますよね。

【オチでも感動する話でも、なんでもいいから、プレゼンの最後は刺激を与えるべし】

オチというのは簡単にいうと、話の最後の驚くような結末のことです。
このオチ、実はいろいろなパターンがあって、「笑い」だけではないんです。
「感動」させるのもいいし、「ビックリ仰天」させるのもいい。
とにかく、共通するのは、最後の最後で「刺激」を与えること、です。
「想定外のことで終わる」って表現してもいいですね。
映画「君の名は。」やドラマの「3年A組」もそうだったでしょ。
このような「オチ」をプレゼンで言えれば、プレゼンの構成力の評価が高まります。
さらに、聴衆を楽しませようとするサービス精神も伝わるから、好感度も上がります。
ただ、これは、一朝一夕ではできないんですよね〜。
普段から漫才や落語やお笑い芸人さんのトークを観て勉強する必要があります。

【オチの作り方】

オチの作り方を簡単に書いておきますね。

酢豚の作り方を教えるみたいなノリになってますが、一応書いときますね。

オチは、「フリ→オチ」という図式になります。

落とすには、実は「フリ」が大切なんです。

「フリ」を徹底的に大げさにしとけば、普通の「オチ」でも十分落とせます。

たとえば、

「右腕を骨折したと思ったら、ヒビ一つ入ってなかった」という話の場合、「ヒビ一つ入ってなかった」のが「オチ」、「右腕を骨折したと思った」のが「フリ」です。

そして、話すときには「フリ」を思いっきり大げさに話します。

『道路でこけたとき、右腕を地面にバーンと打ち付けてポキーンって音がした』

『周辺の10人くらいがポキーンって音、聞こえたって言ってましたもん』

『アイスのチューペットくらいポキーンといった感覚がありました』

ここまで振っておいて『病院行ったらヒビ一つ入ってなかった』と落とします。

「フリ」が大きければ大きいほど「オチ」が際立ちます。

【見本】 桃太郎に関して、フリ→オチにトライしてみる

金太郎や浦島太郎、一寸法師などたくさん昔話ありますよね。
でも、やっぱり一番有名な昔話って桃太郎ですよね。
桃太郎を知らない日本人っていませんもんね。
では、「なぜ桃太郎が一番有名なのか」ってことが気になります。
理由の1つに「わかりやすさ」が挙げられると思うんですよ。
桃から生まれた桃太郎が鬼を退治する。
なんとも簡単な図式。
子どもにもわかる話ですよね。
2つ目に、日本人の好きな勧善懲悪だということ。
「正義の味方が悪を退治する」、一番爽快なパターンですよね。
3つ目の理由として、「仲間がいる」ということが大きいと思いますね。
「和を尊ぶ」ことが好きな日本人ですから。
協力して1つのことを成し遂げるところに魅力があります。
「わかりやすさ」に「勧善懲悪」、そして「仲間との協力」。
これらをすべて含むからこそ今でも人気ナンバーワンなんですよね。

ところで、みなさんは「まんが日本昔ばなし」というアニメはご存じですよね。
「ぼうや〜良い子だネンネしな〜」で始まるTBSの伝説的アニメ番組です。
私も昔、土曜日の19時に観るのを楽しみにしていました。
全部で1474話放映されましたが、記念すべき第1話はなんだったかご存じですか？
当然、もうおわかりですよね。
そうなんです！
やっぱりそうなんです！
この話の流れで、当然わかりますよね。
そうです。
ご想像どおり、「こぶとり爺さん」でした。

【練習問題】かぐや姫に関して、フリ→オチを付けた話をする

ステップ⑪

具体的な固有名詞をあえて出せ

「Ⅳ　リアリティを出す技術」　難易度★☆☆

【抽象的な話は誰も好まない】

「文化的価値」「収斂《れん》活動」「警戒的な色彩を帯びる」

なんですのん、これ？

言葉が難しすぎるし、漢字ばっかり！

しかも、２個目のやつ、漢字読めないし。

しかも、抽象的！　ボヤ～ンとしてる。

頭の中に映像として出てこない。

う～ん、ダメな要素が多すぎる～。

特に抽象的というのが一番良くない。

これはカーネギーコースでもよく言われることですが、プレゼンは聴衆の頭の中に映像を呼び起こさせないとダメなんです。

【具体的に話すと映像が浮かぶ】

改めていいますと、抽象的な言葉は聴衆の頭の中に映像が出てきません。

頭の中に映像として出てこないものに、聴衆はどうやって感動するでしょうか?

感動しようがないですよね。

映像を出すためには具体的に話さないとダメなんです。

具体的に話すというのは、固有名詞をバンバン入れることです。

「犬」と言わずに「トイプードル」と言わなければいけないんです。

「花」ではなく「マリーゴールド」、「香水」ではなく「ドルチェ&ガッバーナ」。

「女の人」って言われても、聞いてる人は頭の中に映像出しにくいですよね。

でも「シャネルを着こなし脚を組み表参道を見つめる32歳の村上由紀子さん」って、言われたら、会ったこともないですが映像が出てくるでしょ?

こういうふうに、具体的に話すことが大事なんです。

いくつか例を挙げますね。

【例】 兵庫県姫路市の姫路駅から車で30分北に向かったら夢前町という……。

【例】山形県の県立高校2年生の田路孝介くんという野球部のエースが……。

【例】「肉だん」っていう謎の遊びが、昭和50年代の小学生の間で……。

こんな感じで、プレゼンでもどんどん固有名詞入れていくと映像が出やすいんです。

【すべての小説は固有名詞で登場してくる】

「小説」の中では、人物は具体的な名前を持って登場してくるでしょ？

A子さん、B男くん、C町って、匿名なんかで出てこないでしょ？

宏美さん、信之くん、松縄町って具体的に出てくるから想像しやすいんです。

【歌詞も具体的なほうがロングセラーになる】

突然ですが、石川さゆりさんの「津軽海峡冬景色」歌います！

ミュージック、スタート！

♪上野発の夜行列車　おりた時から　青森駅は雪の中

北へ帰る人の群れは　誰も無口で……♪

めちゃくちゃ具体的で映像が頭の中に浮かぶでしょ？

だから万人にウケてロングセラーなんですよ、きっと。

【見本】桃太郎に勝手に具体的な名前を入れて創作物語を作ったら……

西暦1457年、応仁の乱が起こる10年前のことでした。
今の岡山県の備前市に、柿右衛門という75歳の男が住んでいました。
おじいさんという肩書で十分な風貌で、白髪しか残っていない男でした。
しかも、少々腰を悪くしていたんです。
妻は須江《すえ》といい、夫よりも7つ年下でした。
この夫婦は貧乏ながら仲睦まじく暮らしていました。
住まいは、茅葺《かやぶき》の、今でいう1LDKの間取りの家でした。
秋も深まる11月下旬の朝、柿右衛門は裏山へ冬に備えて芝刈りに出ていきました。
働き者の夫を見送った須江は、近くの瀬野川に歩いて行きました。
溜まっていた3日分の洗濯物や食器を洗うために。
瀬野川は川幅2メートルほどの小川でした。
《以下省略》

【練習問題】かぐや姫に勝手に具体的な名前を入れて創作物語を創ってください

ステップ⑫

形容詞は使わない。数字と事実、動作で伝える

「Ⅳ　リアリティを出す技術」　難易度★☆☆

【形容詞とは】

形容詞って「美しい」「新しい」「素晴らしい」「格好いい」とかです。

学校で習いましたよね。

形容詞をプレゼンで使う人が多いですが、これ、やめたほうがいいです。

【形容詞は伝わらない】

たとえば、

「野球部に入り、とてもしんどい練習をして、素晴らしい成績を収めました！」

って言っても、これって伝わってます？

とてもしんどい、素晴らしい、っていうのは本人の主観です。

これを言われても、体験していない聴衆には度合いが伝わらないんです。

信憑性も低く感じます。


【数字と事実と動作で伝える】


形容詞で伝えるのではなくて、数字と事実と動作で伝えたらいいんです。

先ほどの例であれば、

「毎日夕方から5時間ぶっ続けで素振りして、さらに夜中に2時間バットを振り続けたおかげで、血豆が両手両足すべてにできました。でもお陰で夏の甲子園でベスト4まで行くことができました」

って言うと伝わるんです。

で、それを聞いた人が、

「わあ、めっちゃしんどい練習をしてたんやね。すごい！　甲子園出たんだ！　素晴らしい成績を収めたんだな〜」って思うんです。

伝わりました？

そもそも形容詞は、聴衆が頭の中で出してくるものなんです。

プレゼンターが言うべきものではありません。

【ミニ知識として、数字を言うときのコツ】

ちょっとここでミニ知識を挟みます。

数字を言うとき、言い方を考えましょう。

相手に関係あることに置き換えて表現しないと伝わらないんです。

たとえば「1兆円はとてつもないお金だ！」って伝えたいとき、

『1兆円は1万円札を積んでいくと、なんと富士山3個分の高さになるんですよ〜』

って言う人がいます。

これ、よくよく考えてみてください。

富士山3個、並べたことありますか？

仮に並べたところで、「ふ〜ん」って感じになるだけですよね。

あまりに自分に関係のないことだからピンと来ないんです。

もっと相手に関係のある形で説明してあげないとダメです。

たとえばこんな感じ。

1兆円がどれくらいのお金かちょっと考えてみましょう。

今、この場でみなさん一人ひとりに100万円配布します。

何に使いますか？

「車！　お菓子！　高級料理！　家のローン返済！……」

なるほど〜、いろいろ出てきますね（笑）。

では明日も一人ひとりに１００万円配布しますが、何に使いますか？

「もう１台の車！　高いお菓子！　超高級料理！　ローソンの商品すべて買う！……」

なるほど〜、物欲があるってことは素晴らしいことです（笑）。

では１年３６５日毎日１００万円を配布し続けます、毎日何に使いますか？

「……」

ちなみに１年間１００万円を使い続けても３億６５００万円にしかならないんですけどね。

では10年間１００万円を毎日配布し続けます、何に使いますか？

「……」

ちなみに10年間毎日欠かさず使っても36億５０００万円です。

では、頑張って１００年間生きましょう。毎日１００万円、何に使います？

「……」

最初の勢いがなくなってきましたが、毎日100万円使い続けても使用金額は365億円です。

もっと頑張って1000年生きましょう。

そして毎日100万円使い続けましょう！

何に使います？　ちなみに1000年使って3650億円なんです。

そうなんです、もうわかってきたでしょ？

1兆円というお金は、毎日100万円を3000年間使い続けないと消費できないお金なんです。

紀元前1000年くらいから大きな石をごろごろ転がしながら、今日までずっと使うんです。


って言うと、とてつもないお金だということがわかってもらえるんです。

何かの参考にしてください。


【リンカーンの名言】


リンカーンの言葉にこんなのがあります。

「6時間で木を切り倒せと言われたら私は最初の4時間は斧を研ぐことに使う」

物事を効率よく進めるには、何よりも準備が欠かせない、という教訓です。これも数字で言ったものを、聞き手に形容詞で解釈させるものですよね。

【見本】桃太郎の話から形容詞を取って、適当に数字・動作を入れてみた

５００年ほど前、今の岡山県のお話です。

75歳のおじいさんと72歳のおばあさんがいました。

おばあさんは家から１００メートル離れた小川に洗濯にスキップして行きました。

すると直径1メートルほどの桃が両岸にぶつかりながら流れてきました。

「おや、これはおじいさんが飛び上がって喜ぶわい」

この桃をひろいあげると１００メートルの距離を20分かけて背負って持ち帰りました。

なんとその桃からは50センチの子どもがジャンプして出てきました。

桃太郎と名付けたその子どもは１８０センチを超える青年に育ちました。

《以下省略》

【練習問題】かぐや姫から形容詞を取り、適当に数字・動作を入れてプレゼンしよう

ステップ⑬

とにかく笑わせろ

「V　リズム・テンポの向上技術」　難易度★★★

【名プレゼンターは「笑い・ユーモア」を戦略に使っている】

名プレゼンターのオバマ元米大統領は、ユーモア専門の原稿担当者デビッド・リットト氏を採用しました。

名プレゼンターのレーガン米大統領の鉄板ネタはこれです。

「私はアメリカ合衆国大統領としての資質を完璧に備えております。第1に、抜群の記憶力。第2に……えーっと、何だったっけ？」

トヨタ自動車ＣＥＯ豊田章男氏がバブソン大学卒業式で行った14分間のスピーチは終始笑いで包まれていました。

世界中で高評価を受けたのは言うまでもありません。

アサヒＨＧ泉谷直木会長は仕事でもユーモアが必要だと公言されています。

【笑い・ユーモアの効用】

笑いは固い雰囲気を壊すことができます。

笑いでグッと引き込めるから、その流れでプレゼンに集中させることができます。

笑ったあと、一体感が増すから、リズム・テンポも良くなりますよ。

笑わせたあとは、どんな堅い話をしても聴衆は聞いてくれます。

【笑わせる方法】

では笑わせる方法を教えてよ！と言いたいでしょうが、ちょっと待ってください。

笑いの素人の僕が笑いという高尚なテクニックを教えられると思いますか？

ハッキリ言います。無理です。

だからぜひ専門書やネットやＹｏｕＴｕｂｅで笑いを勉強してください。

ただ、ここで何も紹介しないのも申し訳ないので、素人ながら、誰でもできるちょっとした笑いは紹介しておきます。

「わかってるわボケ」と「イヤイヤ、おかしすぎるでしょボケ」は、すぐできます。

「わかってるわボケ」は、当たり前すぎることを力説する笑いです。

たとえば……

『私は山崎祥太郎と申します。あっ、念のために言っておきますと……男性です』

『今年生まれて初めて28歳になりました！』

こんな感じです。

「イヤイヤ、おかしすぎるでしょボケ」は、思わず「なんでやねん！」と関西弁でツッコみたくなるボケです。

たとえば、

『この前《セミナーに行かずに自分を磨く》っていうセミナーを受講したんですけどね』

『この前《Ｚｏｏｍの使い方セミナー》を受けに5時間かけて東京まで新幹線で行ってきました』

『折り畳み自転車で鶴折ってたら怪我しましてね〜』

こんな感じです。

僕を信用するかどうかは次に書いている実績を見て判断してください。

参考のために僕の華麗なる実績を紹介しておきます。

２０１７年度　Ｍ-１グランプリ出場 in 大阪心斎橋劇場。

文句なしの1回戦敗退。

漫才中の感想……大阪でこんなに静かな所があるんだなあ、と驚きました。

【見本】なんとか頑張って、桃太郎で笑える話を作ってみる……

幼稚園児の幸夫《ゆきお》くんと計志《かずし》くんの会話（M－1王者ミルクボーイの模倣ネタ）

幸夫くん　僕、昨日の夜にオカンに話してもらった昔話のタイトル忘れてしまったんやわ～。

計志くん　えっ、昔話のタイトルを忘れてもうたて……。どないなってるねん。じゃ、僕が昔話のタイトル一緒に考えてあげるから、どんな話の内容やったか教えてみてよ～。

幸夫くん　桃から生まれた少年がイヌやサルと鬼退治に行く話なんやけどな～。

計志くん　う～ん、「桃太郎」やないかい。その特徴は、完全に「桃太郎」やないか。すぐわかったやん！　こんなん。

幸夫くん　いや～でもわからへんのやなあ。

計志くん　何がわからへんのよ？

幸夫くん　いや、俺も桃太郎やと思ったんやけどな、オカンが言うには、大きくなる

計志くん　までに30年かかったって言うねんなあ。

うーん、そしたら違うか〜。桃太郎が大きくなるまでに30年もかかってえ えわけないもんね。あれは桃太郎がすぐに大きくなってくれるというのがわかってるから、おじいさんおばあさんの設定でスタートできてる話やもんね。30年もかかるのがわかったら、あのご夫婦、養子に出す可能性が出てくるもんね。食費、光熱費、そして一番キツイのが教育費やもんね。桃太郎くん、塾行き出したらお金かかるもんね〜。そしたら桃太郎ではないか〜。う〜ん、他にどんな内容やったか教えてくれる？

幸夫くん　きび団子1個で命捧げられる費用対効果抜群の話なんやけどな。

計志くん　桃太郎やないかい！　誰しもが思ってるのよ、「なんできび団子1個であんなに頑張ってられるか」を。きび団子1個で頑張れるのは、せいぜい2キロお供しながら歩くぐらいやからね。世の労働者はこの物語読みながら、労働基準監督署に告発しに行くべきか悩んでるもんね。

《この後続くが、紙面の都合上とネタが浮かばないという理由で省略》

【（練習問題】　とても難しいが、かぐや姫で笑える話を作ってみる

ステップ⑭

自慢話は言うな。失敗談を話せ

「Ⅵ　プレゼンターの人間性の向上技術」　難易度★☆☆

【自慢する人は敵を増やす】

前に立って話し始めると、すぐに自慢話をしちゃう人がいますね。

あれ、残念ですね。

自分の栄光をさりげなく伝えてくる人、いるでしょ。

『僕が東京大学に通ってたときに……』

『あの番組立ち上げたのは僕なんですけどね』

『うちの息子は医者で、娘がＣＡになってくれたので……』

もうええっちゅうねん！

人が持つ「妬み（ねたみ）」という感情は、すごいパワーを持ってるんです。

これを聴衆に持たせたらダメです。

人間誰しも自分がすごい！と思って生きたいんです。
だから自慢話ばかりしてくる人のプレゼンに、聴衆はウンザリしちゃいます。
自慢した瞬間、聴衆の耳にシャッターが降ります。

【本当の実力者は自慢しない】

そもそも実力のある人は、絶対に自慢しないですしね。
イチロー選手が、「俺、めっちゃヒット打つのよね〜」って言わないでしょ？
山中伸弥教授が、「私すごいものを発見したんです」とは言わないです。
なぜ言わないのか？
だってみんな認めてるから、言う必要がないんです。
「壇上で自慢話をする」ということは普段周りから認められていない証拠です。
恥ずかしいからやめましょう。

【どうしても自慢したかったら】

自慢したくなったら、どうしたらいいか？
『すみません、ちょっと自慢させてください！』

ってハッキリ言ったらいいんです。
この一言を言うだけで、嫌われなくなりますよ。
この人は自慢してるという自覚があるんだなと、聴衆も笑って聞けるからです。

【失敗談はウケる】

逆に失敗談はウケますよ～。
失敗談をすればするほど、聴衆はプレゼンターの余裕を感じるんです。
聴衆は「この人、実はすごい人だわ～」と逆に尊敬の目で見てくれます。

【見本】 桃太郎が自慢をせず、3匹の功績を称えた記者会見をしたら……

僕としては、この3人こそが勝利の立役者だと確信しております。
大した物も与えてもいないのに、八面六臂《はちめんろっぴ》の活躍をしてくれました。
どうか3人に盛大な拍手を送ってもらいたいと思います。
いやいや、采配なんてとんでもない。
あの3人が自分で考えて自分で行動してくれた、それだけです。
私自身は桃から生まれるという不遇がありました。

ただ、その不遇のせいで祖父、祖母に溺愛されてしまいました。
ですので、精神的に甘い人間になってしまいました。
桃だけに。
だから、いざ戦うというときになって、頭が真ピンクになってしまいました。
桃だけに。
僕自身は膝が震えて動けなかった。
声も出なかった。
「ピンチ」と「ピーチ」の違いもわからなくなってきてました。
桃だけに。
本当に指揮官として情けない男です。
でもあの3人が連携して飛び込んでいってくれたんです。
今日の勝利は、あの3人が呼び込んだものに間違いありません。

【練習問題】かぐや姫は絶世の美女だという噂に対する、かぐや姫の記者会見

第3章

プレゼンは「伝え方」が10割!

◎メディアの技術が高まっている

テレビ番組、どれもおもしろいですよね。
ＹｏｕＴｕｂｅもどんどん進化してますよね。
視聴者が喜ぶ技術を駆使して飽きさせない努力をしてるからです。

ではプレゼンの世界はどうでしょうか？
まだまだ、原稿を広げて一本調子で読み上げるプレゼンターも見受けられます。
残念です。
「プレゼンの対象者は、普段メディアから刺激をバンバン受けてる視聴者である」
このことを意識しなければなりません。
刺激のないプレゼンは飽きられてしまいます。
そこで伝え方が重要になってくるのです。

伝え方を工夫すると、刺激のあるプレゼンにできます。

伝え方を工夫すると、聴衆が楽しめるテンポの良いプレゼンにできます。
伝え方を工夫すると、テレビでは味わえない一体感のあるプレゼンが可能です。
伝え方を工夫すると、メディアの数倍の説得力を備えることができます。
伝え方を工夫すると……
まだまだたくさん期待できる効果があります。

このように、プレゼンは、
伝え方を変えるだけで、テレビやＹｏｕＴｕｂｅを超えることができるんです！
「おっ！　大きく出たな〜」
今そう思われたでしょう？
そうです、大きく出ました。
大きく出ましたが、決して空威張りではありません。
今から紹介する21個のステップを踏めばそれが可能なことを知っていますから。
プレゼンの威力をぜひ味わってください。

ステップ⑮

興奮は伝わるから、感情を乗っけよ

「I　引き込む技術」　難易度★★☆

【テンションを上げて話そう】

「あなた、その話、ホントに伝えたいの？」

って言いたくなるくらいテンションの低いプレゼンターがおられます。

淡々と原稿読みながら、声も裏返ることなく、冷静に、無表情で……。

本当にもったいない！

テレビのスポーツ中継のアナウンサーを見てくださいよ。

いつもめちゃくちゃ興奮して喋ってるでしょ。

だから僕らにビーンビーン感情が伝わってきますよね。

これをマネしない手はありません。

アメリカの野球中継のアナウンサーなんか興奮度がすごいですもん！

「ゴー!!!!　ビッグフライ!　オオタニサン!!!!!!!!」

めちゃくちゃ叫んでるでしょ。

ただ、日本だって負けてませんよ。

小泉元首相も平成13年5月、大相撲夏場所の優勝決定戦後の表彰式で、

「痛みに耐えてよく頑張った!　感動した!」

と声を裏返しながら、涙声で貴乃花関に声をかけました。

あれも感情が乗ってたから、国民がさらに感動しました。

みなさんは映画『インデペンデンス・デイ』をご存知ですか?

宇宙人によって地球が侵略されるのを阻止しようとする映画です。

その中で、アメリカ大統領が見事なスピーチを披露します。

「我々は戦わずして絶滅はしない。我々は生き残り存在し続ける。それが今日、我々が称える人類の独立記念日だ!」と。

これぞ、感情を乗せた素晴らしいスピーチの典型例です。


【境野勝悟さん】

私が最も尊敬するプレゼンターは境野勝悟さんなんです。

境野さんの講演は度肝を抜かれました。

高校に行って講演されているのを幸運にも聞くことができたのです。

講演内容は『日本のこころの教育』（致知出版社）という本を参照してください。

その本のサブタイトルは「熱弁2時間。全校高校生700人が声ひとつ立てずに聞き入った！」です。

大げさなタイトルでもなんでもなく、実際本当にそうでした。

私と一緒に聞いていた高校生も2時間、誰一人、1秒も下を向きませんでした。

そして全員が泣きました。

境野さんは、壇上で、作家「小林多喜二」の最期を演じられたんです。

築地刑務所に収監されている多喜二に会いに来たお母さんとのやり取りでした。

「多喜二か、多喜二か?」

「はい、多喜二です。お母さん、ごめんなさい」

「多喜二！　お前の書いたものは一つも間違っておらんぞ！　お母ちゃんはね、お前を信じとるよ！」

感情というより、それを優に超えた「魂」のこもった講演でした。

【見本】「桃太郎」を読んだ感想をわざと興奮して話す

今日、僕の目、腫《は》れてるでしょ?
昨日、衝撃的なことがあって一睡もしてないんです。
まったく眠れなかったんです。
いや～びっくりした。
というのも、ある物語を読んでしまったんです。
みなさん、昔話に「桃太郎」っていうお話があるの、ご存じですか?
あの話を昨日初めて読んでね～、もうね～、腰ぬかしそうになったんですよ。
なんと主人公の少年が桃から生まれてくるんですよ。
いや、待て待て待て待て待てー、って心の中で叫んだんです。
そこ、スーっと流すなよ!と言いたかったんですわ。
桃は川に流しても、話はスーっと流すなよ、って言いたかったんです。
だってひどい話だと思いません?
子どもを桃に閉じ込めて流すんですもん。
何がなんでも、私は桃太郎の親にこれだけは言いたい。
人には言えないツラいことがあったのかもしれないけども……

産んだ子どもを桃に入れて流すのは……絶対にダメだって。
あなた、それはやっちゃあいけないよ！ってね。
けど、人のいいおじいさんとおばあさんに育ててもらったんですよね。
おかげで、立派な青年に育つんです。
ホントにね、ホントに、良かったよね。
やっぱり、おじいさん子、おばあさん子は優しくなるってホントなんですね。
弱者の気持ちに寄り添えるんでしょうね。
こんないい子に育ったのを知って、僕、ホントに感動してね。
実のご両親に知らせてあげたいなあ、と思ってるんです。
ダメだ、泣けてきた……。
ちょっとすみません。
泣かせてください。

【練習問題】「かぐや姫」を読んだ感想をわざと興奮して話す

ステップ⑯

短文で話す

「Ⅱ　わかりやすさの技術」　難易度★☆☆

【一文は一組の主語と述語で話す】

「私は走る」

これ、わかりやすい文でしょ。

それに対して、次の文。

「私は、泉水がたまには朝の風感じながら走りたい！って言うから、わざわざお父さんに頼んで公園近くのグラウンドまで送ってもらって、泉水と一緒に走るための準備運動してたのに、結局小雨が降り出したから、という理由で彼女は勝手に休んだので、それ以来、不仲になって今ではどちらかというと香織と連絡を密にしてる」

……なんですか、これ？

徹底的にわかりにくいです。

筋金入りのわかりにくさです。

私と泉水とお父さんと香織って、一文に4人も出てきてますよね。

そうなると主語と述語が複雑に絡み合います。

相手に理解してもらうために、一文は一組の主語と述語で話しましょう。

【短文で説明する】

では、主語と述語を一組にするにはどうしたらいいのか？

それは、「短文で説明する！」――これです。

塾の先生の説明は短文でしょ？

「今日は『関係代名詞』を教えます」

「これ、入試にめっちゃ出ます！」

「田舎の熊の出現する回数より……出ます」

「この単元がわからない人は英語長文が読めませんので、残念ながら落ちまーす」

「今から説明するから、耳の穴かっぽじって聞いてください」

「関係代名詞というものは、ずばり、修飾語です」

……こんな感じ。

【短文で話すには】

では、どうしたら短文で話せるのか？ってことですよね。
簡単です。
徹底的に話を切ればいいだけです。
ハサミ貸しましょか？
今まで「〜ですが、」「〜したところ、」と言っていたところをズバッと切るだけ。
そして、接続詞でつなげてください。
たとえば、
◎「私は昨日風邪をひいたのですが、頑張って学校に行きました」
↓
「私は昨日風邪をひきました。しかし、頑張って学校に行きました」
◎「私が徹夜で明日のプレゼン資料を作成していたところ、同僚の土屋和広君が手伝いに来てくれました」
↓

「私は徹夜で明日のプレゼン資料を作成していました。すると同僚の土屋和広君が手伝いに来てくれました」

こんな感じ、簡単でしょ？

ちなみにこの本の文章は、95％（たぶん）、1行の短文で完結させてます。

【見本】桃太郎を短文で話す

おばあさんは川へ洗濯に行きました。
すると、川の上流から大きな桃が流れてきました。
「おや、これは良いおみやげになるわ」
おばあさんは大きな桃をひろいあげました。
おじいさんが桃を食べようと割りました。
すると、桃の中から元気な男の子が飛び出しました。
《以下省略》

【練習問題】かぐや姫をとにかく短文で話す

ステップ⑰

相づちは、さんまさんの「ほいで、ほいで」で

「Ⅲ　刺激を与える技術」　難易度★★☆

【一方的に話すのがプレゼンと違いますよ】

上手なプレゼンをされる方の講演会に行ってきたら勉強になりますよ。
その会場が一体となってるのがわかるはずです。
一体感が生まれる理由は、プレゼンターが聴衆を巻き込んでるからです。
巻き込んでるプレゼンターは、よく聴衆に質問して手を挙げさせます。
「はい、そこのあなた！」って、聴衆を当てたりもします。
そして、聴衆が何か答えたときのリアクションがものすごくうまいんです。
「えー？」（驚き）
「ホントですか！」（驚き）
「いやいやいや、そんなことありますか？」（驚き）

「うんうん、ほいでほいで?」(縦掘り)※関西弁
「ということは?」(縦掘り)
「それからどないなりましたん?」(縦掘り)※関西弁
「他には?」(横掘り)
「ちなみに?」(横掘り)
「もっとあるんとちゃいますのん?」』(横掘り)※関西弁
こんな感じで、プレゼンターの口から合いの手がどんどん出てきます。
すると聴衆も本音をどんどん話すようになります。
結果的に普段聞けないような濃密な話が展開されます。
まさにプレゼンターというよりファシリテーター。
その空間において聴衆を主役にしてしまいます。
プレゼンというより、その場にいる人全員での「会話」になっています。
これこそが最高のプレゼンだと思うのですが、いかがですか?
一方的に話すより聴衆と一緒になって作り上げるプレゼン、僕は好きですね~。

【テレビのさんまさんを観て学ぼう】

これをわかりやすい形でやっておられるのが、明石家さんまさんです。

よく観ててください。

さんまさんは、自分よりゲストの方に喋らせてる時間のほうが多いですから。

その極意はやはり「相づち」です。

どんどんゲストに喋らせるように相づちを打っておられます。

「おっ！　わかるよ！」

「はあ〜あ、なるほどな〜」

「ほいで、ほいで？」

こんな感じで聴衆を巻き込んでいきますよね。

さらに、会話を心から楽しんでるリアクションをされます。

歯をむき出して笑われます。

オーバーなくらい手を叩《たた》いたり、テーブルをバンバン力いっぱい叩いたり。

天下のさんまさんがあそこまで喜んでくれたらゲストはもっと話したいと思います。「プレゼンターはファシリテーター」――これの良い見本です。

ファシリテートするうえで、青木将幸氏の著書『アイスブレイク50』『ファシリテーションを学校に！』（ほんの森出版）はとても参考になりますよ。

【見本】桃太郎を題材に、相づちを心がけて講演したら……

桃太郎の話で一番惹かれるのが、「チームワーク」なんです。
桃太郎はいわずと知れたリーダーシップを持ってますよね。
イヌは忠誠、サルは知恵、キジは勇気、を持ってる感じがしますね。
同じタイプの人が集まるより、それぞれの分野に長けた人が集まる。
これがすごいパワーを生み出すってことがわかりますよね。
さあ、この中で、私の職場、チームワーク取れてますよ〜って方、おられます？
わ〜、結構いらっしゃいますね〜。
6割くらいの方が手を挙げてくださいましたね。
すみません、一番前に座っておられるあなた。
あなたは、タイプでいうと先ほどの4人の中ではどの役割ですか？
「……サルですかね……」
サル?!
えー、素晴らしい！
「私は知恵があります！」って自分から言いたいんですね？

「いえいえ、そんなことは……」

またまた〜。

でもどのあたりでサルに近いなあと思われたんですか？

「私はパソコンには詳しいので……」

というと？

「職場の人によく尋ねられたりするので、そういう意味で知恵があるのかな〜って」

へ〜、それは素晴らしい技術をお持ちなんですね。

羨ましい！

昔からパソコンは詳しいんですか？

「いえいえ、社会人になってから覚えたんです」

すごい！　社会人になってから覚えてすでに達人レベル！

向上心の塊みたいな方ですね！

《以下省略》

【練習問題】かぐや姫を題材に、相づちを心がけて講演したら……

ステップ⑱

時には、グサッと突き刺さる言葉も言う

「Ⅲ　刺激を与える技術」　難易度★★☆

【常套《とう》句には意味がない】

「こだわり」「厳選した」「真心を込めた」「地域密着」。

これらの言葉を聞いて心が動くでしょうか?

手あかのついた言葉は人の心に刺さらないいんです。

だから人の心も動かせません。

人の心を動かすには、時にグサッと突き刺さる言葉も言うことが大切です。

それにはテレビ番組が良い見本になります。

【テレビでは毒舌がウケる】

テレビってプレゼンの参考にする要素がたっぷりあります。

今も昔も、辛口なコメンテーターや司会者は人気がありますよね。

今であれば、マツコデラックスさんや有吉弘行さん、そして上沼恵美子さん。

昔であれば、ミヤコ蝶々さん、やしきたかじんさん。

みんなが思ってても言えない言葉を代わりにズバズバ言ってくれます。

観てて気持ちいいですよね。

しかも本質を突いてるから膝を打って納得してしまいます。

だから人気があるのでしょう。

「そんな奴、世の中に必要ないわ！　退場し！」

「人をなめるんもええ加減にしときや！」

「台本見て、司会してたら、ホンマ殴ったろか!と思う。そのぐらい頭に入れてこいよ！」

「あなたたちは年収とか数字でしか恋ができないからね」

「ブレイクとは、バカに見つかることでしょ」

「人の金で飲むときは仕事と思え、バカ！」

とかね。

そういえば、ベストセラー作家東川篤哉氏の『謎解きはディナーのあとで』で、執事影山が、「お嬢様の目は節穴でございますか？」と痛烈に言い放つのがウケましたよね。このように、グサッと突き刺さる言葉は、はまればウケます。

【突き刺さる言葉はプレゼンでは必要】

ズバッと突き刺さる言葉を言うことって、プレゼンでも必要なんです。

当たり障りのない言葉ばかりを並べてたら刺激を与えられないからなんです。

当たり障りのない言葉ばかりだと、聴衆は寝ちゃいます。

聴衆は、生ぬるい水くさいスープを飲みに来てるんではありません。

刺激を求めてプレゼンを聞いています。

良識に従った突き刺さる言葉が言いたいものですよね。

【突き刺さる言葉は取扱注意】

ただし突き刺さる言葉の使用には、3つの前提があります。

1つは、聴衆にあらかじめあなたの人間性が認められていること、という前提です。

プレゼンターが真面目で礼儀正しい方だという前提があってこそ成り立つ荒技です。

人間性がわかっているからこそ突き刺さる言葉を好意的に受け止めてくれます。もし普段から品行方正ではないのならただの罵詈《ばり》雑言になるので使用はやめましょう。

聴衆との信頼関係があって初めて成り立つものだと肝に銘じておいてください。

私も職業柄、時に厳しい言葉を言うときがあるんです。

勉強に対して不真面目な生徒に喝を入れる場合、突き刺さる言葉を使います。

「これだけ言っても勉強しないんだったら、入試で落ちたほうがいい！　落ちるべきだ！　落ちてこい！　そして人生の厳しさを学びなさい！　こんなので受かったら真面目に勉強してる人に失礼だ！」

言葉だけを捉えられるとひどい先生だな～ということになりますが、クレームが来たことはありません。それは信頼関係があるからです。

そして、2つ目の前提を言います。

「大人数の前でしか言ってはいけない」、という前提です。

少人数の空間で突き刺さる言葉を使うと、本当に突き刺さってしまいます。

逆に、30人を超す前で発言するときは、ある程度厳しいことを言っても薄まります。

それは、突き刺さる言葉が全体に響きますので、そこまでキツく伝わらないんです。

場の人数を考えて発言しましょう。

そして、最後に挙げる前提は、「本質を突くには相応の勉強が必要だということ」です。

厳しい言葉で本質を突こうとするならキチンとした知識が必要です。

不勉強のまま過激なことを言うと、自分の浅はかさをさらすことになります。

支持はもらえません。

以上3つの前提を踏まえて、聴衆を動かせるような言葉を使えるようにしましょう。

ピッチャーで例えるなら、相手の胸元を突くストライクぎりぎりのボールを投げられるように特訓が必要です。

【見本】 桃太郎が今の若者の生き方について突き刺さる言葉を使ってプレゼンしたら

「鬼を退治することが絶対的正義！」――僕の時代はわかりやすかったんです。

何をしたらいいのか、何をしてはいけないのか、これが明確でした。

30年ほど前もそうでしたよね。

一生懸命勉強していい会社に就職できたら勝ち。

でもこの10年でこの価値観は大きく変わってきました。

何が正解かなんて誰に聞いてもわからない。

だから、今の若者は動けなくなってきましたし、実際に動いてない。

ただ、私はみなさんにこう提言します。

「それでも動け！」と。

みなさんは実際の行動に移していますか？

ネットで情報だけ集めて頭の中だけで答えを出しているのではないですか？

行動を起こさず、きれいな正解だけを追い求めて、成功者の本ばかりを読んでるのではありませんか。

みなさんはバカなんですか？

動かず傷つかないのに、何が正解で何が不正解かなんてわかるわけがないでしょ！

それから、もう1つ、正解不正解は人によって違うんですよ。

金太郎くんの成功が花咲じいさんの成功ではないんです。

なのに、人の情報ばかりを頼って自らは動かない。

みなさんは300年生きても正解は得られないでしょうね。


【練習問題】かぐや姫が若者の生き方について突き刺さる言葉を使ってプレゼンすると

ステップ⑲

急に話すスピードを上げる

「Ⅲ　刺激を与える技術」　難易度★★☆

【バスケットボールが良い例】

バスケットの試合観たことありますか？

格好いいですよね〜。

特に、

「コートの中盤でボールをトントンついてたかと思うと、一気にタタタタタタンとディフェンスに切れ込んで、かいくぐって、パアアンっとレイアップシュート！！！」

ってところが、いいですよね！

急に速度を速めるあの動きが格好いいんです。

【急に速度を変えると刺激が生まれる】

この「速度を急に速める」、もしくは「速度を変える」というテクニック。
プレゼンでもしたほうがいいんです。
急発進したり止まったりすると、聴衆がそれに付いていこうとします。
そうなると「聴衆の集中力が増す」んです。
「早口で喋ったら聴衆が付いてこられないかも?」
って思ってる方おられますか?
いえいえ、いくら早口で話しても聴衆は付いてきますよ。
最近の人は動画を2倍速くらいで観てますからね
早口は全然大丈夫です。

【漫才が良い例】

残念ながらほとんどのプレゼンはリズムが単調なんです。
メトロノームが置いてあるのかな?って思うくらい。
漫才の例をよく出しますが、一度掛け合い漫才を見てください。
最初は普通に喋ってるんです。
でも一番盛り上がるときってお互いが大きな声で早口で掛け合ってますよね。

あれなんです！

あのスピードが一気に速くなるところがあるから刺激を生むんです。

競馬の実況中継でも第4コーナー回ったとき、一気にスピードアップするでしょ！

「エアシャカール！　エアシャカール！　エアシャカール！　豊だ！　アグネス！　河内の夢も飛んできている！　エアシャカールか？　エアシャカールか？　アグネスか？　アグネスか？　河内の夢か？　豊の意地か？　どっちだーーーーーーーーーー？」

一気にスピード上げてまくしたてるから刺激がハンパないですよね。

講談師さんの話し方も参考になりますよ。

神田伯山さんの話し方は特に勉強になります。

「さあ表に出ろってえと、虚無僧、天蓋《てんがい》をかなぐり捨て、尺八左手に持って、表に飛び出しました。表を通りかかった旅人たち。やあ、喧嘩だ喧嘩だ喧嘩だ喧嘩だ。侍と虚無僧の喧嘩だ……」

宮本武蔵と虚無僧とのケンカのシーンを10秒足らずで喋っておられます。

それまでのスピードとまったく違ってすごい早口、でも聞き取れます。

ちなみに、この場面だけは噛んだらダメですよ、一番の見せ場ですから。

【見本】桃太郎の話を急にスピード上げて読む

《普通のペースで読む》

むかしむかし、あるところにおじいさんとおばあさんがいました。
おばあさんが川で洗濯していました。
すると、ドンブラコ、ドンブラコと、川の上流から大きな桃が流れてきました。
「おや、これは良いおみやげになるわ」
おばあさんは大きな桃をひろいあげて、家に持ち帰りました。
その桃を食べようと割ったところ……

《急にスピードを上げる。このあとの6行の部分を17秒で読む》

なんとなんと、桃の中から元気な男の子が飛び出しました。
子どもがいなかったおじいさん、おばあさんはそりゃもう大変喜んだ。
桃太郎はすくすくと育ち立派な青年になり鬼退治に行くと言い出した。
びっくりしたのはおじいさんおばあさん。
猛反対しましたが、桃太郎の決意は固かった。
作ってくれたきび団子を腰にぶら下げ鬼ヶ島へと出発したのでした。

《普通のペースで読む》
旅の途中で、イヌ、サル、キジが順番に現れ、きび団子を欲しがります。
桃太郎は、鬼ヶ島へ同行することを条件に、きび団子を分け与えます。
鬼ヶ島では鬼たちが酒盛りの真っ最中でした。
桃太郎一行は静かに近づき、鬼たちが油断したところを一気に襲います。
《急にスピードを上げる。このあとの5行の部分を12秒で読む》
イヌはおしりにかみつき、サルは鬼の背中をひっかきました。
なんとなんとキジはくちばしで鬼の目をつつきました。
そして桃太郎も、刀をふり回して大あばれ。
とうとう鬼の親分が、「まいったぁ。まいったぁ。降参だ、助けてくれぇ」
と観念したのでございます！

【練習問題】かぐや姫の話を急にスピード上げて読む

ステップ⑳

「よ」「か」「ね」「るんです」「うんです」で聴衆に話しかける

「Ⅳ　リアリティを出す技術」　難易度★☆☆

【プレゼンは会話】

プレゼンは一方的に話をするものだという考えはやめたほうがいいですよ。
プレゼンは、聴衆との会話です。
これ、ステップ⑰でも言いましたよね。
だから「話しかける」ことが大切。
聴衆との間に壁を作らないように、話しかけるように話すことが大切です。
ということは、文末の表現が大切なんです。
『私はこう見えて高校生なんですよ』
『日本の良いところ、いくつ見つかりますか？』
『朝眠くて学校休んじゃおうかな？って思うことってありますよね』

『実は、私、この歳で毎日青汁飲んでるんです！』
『人間関係で悩んでるとき、あ～昆虫になりたいってよく思っちゃうんです』
どうでしょう?
話しかけられると、聴衆はそれに対しての回答を頭の中で考えちゃいますよね。
だから眠たくならないんです。
話しかけた結果、聴衆から反応があった場合は、ステップ⑰で対応しましょう。

【見本】桃太郎を「よ」「か」「ね」「るんです」「うんです」を使って読んでみる

その後、サル、キジが順番に現れ、きび団子を欲しがるんですよ。
桃太郎は、鬼ヶ島へ同行することを条件にね、きび団子を分け与えるんです。
この3匹は桃太郎の家来となり船で鬼ヶ島へと向かうんですよね～。
さあ、鬼はこのことを知っていたと思いますか?
なんと、そのころ鬼たちは酒盛りの真っ最中だったんです。
まったく知らなかったんですよね。
さあ、鬼たちの運命やいかに！
桃太郎は、今こそチャンスだ！と思ったでしょうね。

「みんな、気を抜くなよ。それ、かかれ！」

大声を出して指揮します。

イヌはおしりにかみつき、サルは鬼の背中をひっかいた。

キジはくちばしで鬼の目をつついちゃうんです。

イタイイタイイタイ！

そして桃太郎も、刀をふり回して大あばれするんです。

とうとう鬼の親分が、

「まいったぁ。まいったぁ。降参だ、助けてくれぇ」

と、手をついて謝ってきたんです。

桃太郎はそんな鬼たちを許してあげたんですよ。

【練習問題】かぐや姫を「よ」「か」「ね」「るんです」「うんです」を使って読んでみる

ステップ㉑

キレイに話さない。時に、……つまる

「Ⅳ　リアリティを出す技術」　難易度★★☆

【つまったほうがリアリティが出る】

女の子に尋ねます。

プロポーズされるとき、スラスラ話されるプロポーズがいいですか？

それとも、つまりながら、「え〜……」「あの〜……」って話すプロポーズがいいですか？

（アンケート中、アンケート中、アンケート中）

そうですよね、つまりながらのプロポーズのほうがいいですよね！

立て板に水のようにスラスラ言われたら、なんかセリフ臭くて変ですもん。

感情がこもってないようにも聞こえてしまいますよね。

逆に、

「えええ……と、あのおお、前から、いやずっと前から、遥香さんのこと……」

って言われると、自分で今考えてる言葉だなあと思えますよね。

このほうがリアルでしょ？

気持ちが伝わってくるでしょ？

親近感が湧くでしょ？

「パソコンの文字の手紙より、汚い手書きの手紙のほうが嬉しい」

この感覚に近いものがあるでしょ？

これなんですよ！

【聴衆は本音を聞きたがっている】

プレゼンでも同じで、時には、つまることも必要です。

つまるということは、その場で考えてるってことですから本音ですよね。

聴衆は本音を好みます。

準備してきた綺麗な原稿より、つまりながら絞り出した本音が好きなんです。

プレゼンターの生の声が聞けるっていうのは聴衆には嬉しいもんなんです。

「う〜ん、なんていうのかな〜、ちょっと待ってね、う〜ん……」

こんな感じで、最後に絞り出した言葉に真実味を感じるんです。

わざとつまる必要はないんですが、噛んだりつまったりしてもＯＫだと思ってください。

【見本】鬼を暴力で裁くことについて、その場で考えてプレゼンする

桃太郎は悪い鬼を懲らしめるために、暴力を使いますよね。

まあ、昔ですから、それもありでしょう。

でも、今の世の中では暴力は良しとされない。

暴力廃絶の動きはどんどん進んでいます。

うーん、ただ、なんというのかな〜。

今の世の中見てるとですね……。

うーん、いい言葉が出てこないですが……。

本当に「力」で押さえつけることをなくしてしまっていいのかと思ってしまいます。

なぜなら、なんとも歯がゆいときが多いからです。

拉致問題一つとってもそうですよね。

大人の解決方法で対応しなければならないですもんね。

わかりますけど……まったく進展はないですよね。
「悪を退治できない」——ここにイライラ感が募ります。
当たり前のことが当たり前にできない、なんとも歯がゆい世の中です。
ただ、それは昔もありました。
むしろ昔のほうが、上の権力は強かったはずですからね。
さぞかし不条理な世の中に、下の者はイライラ感を募らしてたことでしょう。
うーん、なんでしょう、その当時のことを思うとね……。
今喋ってても、なんかこう、うーん……怒りが……こみ上げてきますよね。
反抗したくてもできなかった民衆の怒りが、なんかこみ上げてきますよね。
だからこそ、昔話ということにして、人々は胸がすく話を作ったのかもしれません。
30年ほど前は、昔話の代わりに、勧善懲悪の時代劇が多く作られました。
「水戸黄門」「桃太郎侍」「遠山の金さん」「暴れん坊将軍」
視聴率が良かったのはやはり不条理を裁けなかった当時のイライラ感かも、ですね。

【練習問題】かぐや姫の話が残したメッセージについて、つまってもいいのでその場で考えてプレゼンする

ステップ22

実際の会話を入れる

「Ⅳ　リアリティを出す技術」　難易度★☆☆

【会話はインパクトを与えて、リアリティを倍増させる】


「実際の会話をプレゼンに取り入れる」と、聴衆に強烈なインパクトを与えます。

しかも、この上なくリアリティが出ます。

「会話を取り入れる」とは、簡単にいうと寸劇を始める、ということです。

ちょっとやってみますね。


小学2年のときにこんなことがあったんです。

「返したれや！」

「なんやと！」

「その消しゴム、造田君に返したれや！」

「なんでお前に言われなあかんねん！」

「造田君が泣いてるやろが！　返したれや！」

ビビりですぐに泣く僕は、生まれて初めて、ケンカをしました。

ケンカの強い大野君に食って掛かりました。

泣いている造田君をどうしても見過ごすことができなかったんです。

「うるさい！　お前は黙っとけ！」

「なんやと！　お前が悪いんやろがー」

気がつけば、僕は大野君に飛び掛かっていました。


ってこんな感じ。

インパクトあってリアルでしょ？

普通のプレゼンターはなかなかこれをしないから、大いに目立ちます。

しかも、何も説明していないのに、造田君と大野君と僕の関係性がわかるでしょ？


【詳細は伝えなくても会話でわかる】


「会話を取り入れる」と細かな説明なしで詳細が伝わるというメリットがあります。

そういえば、ドラマや映画でも登場人物がどんな人かなんて説明ないですよね？

動作や発言だけで、どんな人なのかわかってきますよね？

「会話」っていうのはそれほどいろんな情報を含んでくれているということです。寸劇するのは最初は恥ずかしいですが、一度トライしてみてください。これほど費用対効果の高い技術も珍しいですので。

【見本】物語「桃太郎」を会話だけにしてみると……


「おばあさん、んじゃ山に行ってくるよ」

「気を付けてね、おじいさん」

「さあ、私も川へ洗濯に行こうかね」

「ああ、川の水も冷たくなってきたね。もうすぐ冬が来るんだものねエ」

「あれ？　あれはなんだい？」

「なんちゅう大きな桃なんじゃ」

「こんな重たい桃を持ったのは初めてじゃ」

「おじいさん、おじいさん、見てくださいよ、この桃！」

「こりゃたまげた！」

「オギャーーーーーーーーーー」

「わああ、中から子どもが出てきたー！」

「いったいぜんたい、どういうことなんじゃー」

「この歳になってまさか子どもを授かるとは思わんかった」

「ホンマにかわいいのう。ほれ、たーんとお食べ」

「おじいさん、おばあさん、今までありがとう。僕はみんなに恩返しがしたい」

「いったい、どうしたんじゃ？」

「どうか鬼ヶ島に行くことを許してほしい」

「そんな恐ろしいことはやめておくれ」

「そうじゃ、お前が死んでしまったら、もう私たちは……ううう」

「心配してくれてありがとう。でも大丈夫だよ。僕はこのとおり日本一の力持ちさ！」

「おばあさん、行かせておやり。桃太郎は必ず生きて帰ってくる！」

「そんな！　そんな！　そんなこと、どうしてわかるんですか！」

《以下省略》

【練習問題】かぐや姫を会話だけで話してみましょう

ステップ㉓

序破急で伝える

「V　リズム・テンポの向上技術」　難易度★★☆

【序破急とは】

序破急《じょはきゅう》って聞いたことあります？

「オバＱ」と違いますよ、「序破急」ですよ。

序破急というのは、

「序」…物事の始まり。

「破」…内容が急展開。

「急」…クライマックスへと一気に盛り上がり、速やかに締めくくる。

ってことなんです。

日本の雅楽の言葉だそうです。

序破急は、展開が、チョロチョロ、ブアーン、キュッー、なので刺激があるんです。

聴衆が想定しているよりも早く展開していくので驚きの連続になります。
ジェットコースターを思い浮かべてもらったら一番わかりやすいですよ。
最初に高いところまでゆっくりガタガタ上っていくでしょ。
これが「序」。
そこから一気に、急降下して、「ワーワー、キャーキャー」になりますね。
これが「破」。
そして盛り上がりから一気に止まって終わる。
安全ベルトがキューってなるでしょ？
あれが「急」。
テンポが速いので聴衆を飽きさせないんです。
だから、映画の番宣によく使われてますよね。

【プレゼンでも序破急を心がける】

プレゼンは、起承転結で話すより、序破急で話すほうが良いです。
起承転結は、パターンが読めてしまいますので刺激がないんです。
序破急のスタートとしては、開始5秒までは落ち着いたテンションでスーッと流す。

5秒後から一気に大きな声で話し出す。
しかも早口。
そこからまくし立てて、一気にクライマックス。
勢いそのままに一瞬にして終結させる。
ポイントは、プレゼン始まって数秒後にはもう急展開するってところです。
出だしが長かったり、まどろっこしかったりしたらダメですね。
漫才は、3秒以内に本題に入ってるパターンが多いですから参考になりますよ。
アニメ「ルパン三世」(テレビ版)も、開始1分で急展開します。
アニメ「名探偵コナン」も展開が序破急になっています。

【見本】 桃太郎を序破急で話してみる

《序》
おばあさんが川で拾った桃を切ったところ小さな男の子が飛び出してきたんです。
《破》 ※速いテンポで読みましょう。
桃太郎と名付けられたその男の子はすくすく育ち、鬼退治を言い出すんです。
おじいさんは、「えええええええええええええええ!」

おばあさんも、「えええええええええええええええええ!」

ですが、言い出したら聞かないのが桃太郎。

作ってもらったきび団子を持って飛び出していきます。

ラッキーにも、イヌ、サル、キジの3匹の強力助っ人を獲得します。

桃太郎はヨッシャー!って感じで勢いづき鬼ヶ島に乗り込んでいきます。

キジが偵察したとおりの鬼の布陣、手薄なところを狙ってイヌが一気にぶち破ります!

サルが部下の鬼をかき分け、一気に本陣にまでたどり着く。

見事な連携プレーが炸裂です。

ものの30分で鬼ヶ島を制圧してしまうんです。

《急》

桃太郎は反省した鬼たちを許してやります。

そして無事におじいさんとおばあさんの元に帰ってきました。

【練習問題】かぐや姫を序破急で話してみましょう

ステップ
24

同じ言葉を繰り返す

「V　リズム・テンポの向上技術」　難易度★☆☆

【いきなりですが……1つの例として主張を挙げておきます】

いきなりですが、僕の主張を聞いてください。
本棚に置いてあるビジネス書って何回読まれましたか？
まさか1回だけ？
僕思うんです、ビジネス書は最低3回読むべきだ！って。
聞こえました？
もう1回言いますね。
ビジネス書は最低3回読むべきなんです。
だって1回読んだところであまり頭に入ってないでしょ？
仮に頭に入っててもそれを行動に移してませんよね？

だったら意味がないと思うんです。
本棚の本の多さに自己満足してる人が多ように思います。
本を買っただけで満足する、これはもうやめましょう。
なぜ僕がこんなことを言うのか？
3年前までの僕がビジネス書を1回しか読まない人だったからです。
最後にもう1回、言いますよ。
ビジネス書は最低3回読むべきなんです。

【同じ言葉を繰り返し言う人、珍しいです】

「同じ言葉を二度繰り返すってダメなこと」と思ってませんでしたか？
そう思われてるのだったら、ここでちゃんと言っておきます。
逆です。
先ほどの「ビジネス書を3回読むべき」の主張を見直してください。
同じ言葉を繰り返すと次の3つの効果が期待できます。
①主張を強調できる。
②プレゼンを完全にコントロールしている印象を与えられる。

③伝えたいという想いが聴衆に伝わるので、聴衆を動かせる。
この3つの効果、伝わってます？

聴衆も同時に次のような気持ちになるはずです。

「同じ内容を繰り返せるということは、相当この主張に自信がある証拠だな」

「自分でこの話をコントロールしてるな。誰かに言わされてるのではなくこの人の想いなんだな」

「どうしても○○のことを我々に伝えたいんだな」

そもそもプレゼンで同じ言葉を繰り返す人って少ないんです。

少ないから、普通と違うので、聴衆は「ん？」となります。

それだけで聴衆を惹きつけることができるんです。


【塾の実例】


塾の先生もよく使います。

「入試本番は、緊張するから120％の力は出せないんです」

「100％も出ない。80％出たらいいほうです」

「もう1回、言いますよ。入試本番は80％の力しか出ないんです」

「だったらどうするか？　今のうちに力を150％まで引き上げとけばいいんです！」

別に変ではないでしょ？

【いつも野球ばかりに例えて申し訳ないのですが、今回も野球に例えると……】

野球のピッチャーに例えると、同じコースに2球続けて投げることと同じですよね。

2球続けられるとバッターボックスのあなたはどう思いますか？

「このピッチャーはバカなのか？」とは思わないはずです。

逆に、「配球に相当な自信があるんだ〜」と見るはずです。

プレゼンでも同じように思われます。

【見本】鬼ヶ島から帰ってきた桃太郎がイヌとの出会いを村人に報告します。そこで同じ言葉を繰り返したら……

私がこの村を出発し、2日ほど経ったときのことです。

道端にいた1匹のイヌくんが尋ねてきたんです。

「どこへ、何をしに行かれるのですか？」

私は迷わず答えました。

「村人たちを苦しめる鬼たちを退治しに、鬼ヶ島に行くんだ！」

するとイヌくんは、

「私も一緒に連れていってください！」

って言い出すんです。

本当に、びっくりしたんです。

みなさんだったらどうですか？

びっくりされませんか？

ここ大事なところなので、もう一度言いますよ。

私が、

「村人たちを苦しめる鬼たちを退治しに、鬼ヶ島に行くんだ！」

と、言ったんですよ。

すると、イヌくんが、

「私も一緒に連れていってください！」

って答えたんです。

……いやいやいや、ありえないですよね？

このイヌくんの答え、ありえないです。
だって、鬼退治はイヌくんにとってはなんのメリットもない話ですよ。
イヌくんにとって命を落とす可能性が高まったっていうだけの話ですよね？
なのに、「一緒に連れていってください」って。
私は考え込みました。
もう一度言いますよ。
この話はイヌくんにとってなんのメリットもない話だったんです。
なのに、なんです。
僕はイヌくんのこの熱い想いに涙があふれてきたんです。
気がつけば、僕はイヌくんの手を取ってこう言ってました。
「君はなんて『ワン』ダフルな奴なんだ」って。

【練習問題】月に戻ってきたかぐや姫が、報告のプレゼンで同じ言葉を繰り返したら

……

ステップ㉕

対句はリズムが良くなる

「V　リズム・テンポの向上技術」　難易度★★☆

【対句は日常にたくさん見られる】

「対句」って、学校の国語の授業で習いましたよね？
これ、習っただけにしておかず、もっと使っていきましょう。
対句を使えばリズムが良くなるんです。
リズムがいいから対句は歌の歌詞にもよく使われてます。

◎雨にくゆり　月はかげり（米津玄師『パプリカ』）
◎誰にも見せない泪があった　人知れず流した泪があった（ゆず『栄光の架橋』）
◎止めど流る清か水よ　消せど燃ゆる魔性の火よ（サザンオールスターズ『TSUNAMI』）

◎海よりもまだ深く　空よりもまだ青く（テレサテン『別れの予感』）

言葉の音数、働き、リズムを同じにするのが「対句」です。

歌詞に用いられるのは当然なんですが、日常でもたくさん見かけます。

◎帯に短し襷《たすき》に長し（ことわざ）

◎聞こえないんじゃない、最初から言ってないんだ！（オンライン予備校スタディサプリ　英語講師）

◎話を聞かない男、地図が読めない女（ベストセラー本のタイトル）

◎覚せい剤やめますか？　それとも人間やめますか？（昔のＣＭ）

◎事件は会議室で起きてるんじゃない、現場で起きてるんだ！（ドラマ「踊る大捜査線」セリフ）

◎結構毛だらけ猫灰だらけ、お尻の周りはクソだらけ（映画「男はつらいよ」寅さんの口上）

◎がんばる人の、がんばらない時間。（ドトールコーヒーのブランドメッセージ）

◎４時間頑張る人　受かる人　２時間頑張る人　落ちる人（塾でよく見かける標語）

対句は、耳触りがいいし、楽しいリズムが生まれるんです。
世の中にあふれていることから、対句がどれほど好まれてるかがわかりますよね。

【対句はリズムを良くするから、プロの印象を与える】

プレゼンで対句を使える人は、相当ベテランです。
実際はなかなか使えないと思います。
だからこそ、対句を使えたら「プロのプレゼンター」として見られます。
「でもこんなテクニック、できるようになるかなあ?」と思ってませんか?
そう思ってるんだったらハッキリ言いましょう。
できるか、できないか、じゃないんです!
練習するか、しないか、なんです!

【作り方】

対句の作り方教えますね。
まず、ボウルに小麦粉と片栗粉を入れます。
そして、卵を割って……ってオイ!

ごめんなさい、間違えました。

1つの方法は、対義語を考えるといいですね。

たとえば、西と東、春と秋、とかね。

そこから何かを足すと対句になることが多いですよ。

「西の有馬温泉、東の草津温泉」

とかね。


「出会いの春、別れの秋」


もう1つは、似たような響きの言葉を考える。

ハーバード大学とハンバーグ定食。

きんぴらとチンピラ。

タピオカとカピバラ、とかね。

『僕はハーバード大学出身ちゃうよ。ハンバーグ定食は好きやけど』

『食卓に出てきて嬉しいのがきんぴら、曲がり角から出てきてほしくないのがチンピラ』

『意外においしいと思ったのがタピオカ、意外に大きいと思ったのがカピバラ』

とかね。

即興でできる芸当でもないので、ストックを普段から持っておくといいですよ。


【見本】桃太郎に対句を入れて話したら……


むかしむかし、のお話なんです。

あるところに、おじいさんとおばあさんが住んでおりました。

おじいさんは山へ芝刈りに、おばあさんは川へ洗濯に行きました。

洗濯をしているおばあさんのもとへ、大きな桃が流れてきました。

桃栗3年、柿8年、梅は酸い酸い13年、梨はゆるゆる15年、柚子の大馬鹿18年、蜜《み》柑《かん》のまぬけは20年！

と申しまして、桃は比較的成長が早いほうだといえます。

そうは言えるのですが、さすがにここまで成長した大きな桃は珍しい。

おばあさんは大きな桃をひろいあげて、家に持ち帰りました。

おじいさんは包丁を、おばあさんは大皿を持って、いざ切ろうとしました。

すると、なんと桃の中から元気な男の子が飛び出しました。

おじいさんは飛び上がり、おばあさんはしゃがみ込みました。

桃太郎はすくすくと育ち、立派な青年になりました。

同時に、鬼はどんどん狂暴になり、手が付けられない悪党になりました。

退治することを決めた桃太郎、それを許したおじいさん、きび団子を手渡すおばあさん。

そのあと、イヌ、サル、キジが桃太郎のお供に付きます。

この3匹が鬼退治に八面六臂の活躍を見せます。

イヌはおしりにかみついた。

サルは鬼の背中をひっかいた。

キジはくちばしで鬼の目をつっついた。

奇襲を仕掛けた桃太郎たちは大勝利、奇襲を仕掛けられた鬼たちは大敗北。

おじいさんとおばあさんは大狂喜。


【練習問題】かぐや姫に対句を入れて話したら……

ステップ㉖

「間」はホンマに大事やで

「V　リズム・テンポの向上技術」　難易度★★☆

【シーンってなる瞬間が怖い】

プレゼンターの一番怖い瞬間は、会場が「シーン」ってなる瞬間ですよね。

あれは怖い。僕も怖い。

怖いから、その「間」を埋めるためにすぐ喋ってしまいます。

【間《ま》には2種類ある】

でも時には、「間」を取ったほうがいいときがあります。

それは、①自分が喋った内容を理解してもらいたいときと、②惹きつけたいとき、です。

つまり、「理解してもらうための間」と「惹きつけるための間」です。

①の、理解してもらうための間は、「大事なセンテンスのあと」に置きます。
たとえば、プレゼンの名人、オバマ元大統領であれば、

「この選挙戦で我々が成し遂げたことをもって、この瞬間アメリカは変わった**（8秒間）**」というセンテンスで、なんと8秒間もの「間」を取ってます。

日本で8秒間というのは少し長いですけどね。

大体2〜3秒、「間」を空けると聴衆は理解しやすくなります。

（※僕もここで「間」を3秒間取ります）

それに対して、②の、惹きつける「間」は、「大事なセンテンスの前」に置きます。

ここに「間」を取ることで、聴衆の期待感を増幅させます。

年末に行われる優秀賞の発表はまさにこれのわかりやすい例です。

「第59回日本レコード大賞は……**（5秒間）**乃木坂46『インフルエンサー』です！」

発表を待っている間のドキドキ感がたまりませんよね。

同時にそれは聴衆をぐっと自分に惹きつけてることになります。

5秒は長いですが、通常のプレゼンであれば1〜2秒は取りたいですね。

ちなみに、売れる営業は「間」を作れる人だそうです。

「間」が怖くてついつい喋ってしまう営業の方はぜひ参考に。

【見本】 桃太郎の話に、間《ま》を入れて話してみる

おばあさんが川で洗濯していると、ドンブラコと何かが流れてきました。
間（2秒）なんとそれは大きな桃だったのです。
その桃をおじいさんが割りました。
すると、桃の中から、**間（1秒）**元気な男の子が飛び出しました！
桃太郎はすくすくと育ち、困り果てる村人を見て、桃太郎は2人に言いました。
間（2秒）「俺は鬼退治に行く」**間（3秒）**
おじいさんとおばあさんは反対します。
しかし、ついには桃太郎の熱意に折れ、きび団子を作って送り出します。
旅の途中で、イヌ、サル、キジが順番に現れ、協力して鬼ヶ島に渡りました。
桃太郎は3匹の家来に向かって言いました。
間（2秒）「みんな、気を抜くなよ。**間（2秒）**それ、かかれ！」
《以下省略》

【練習問題】 かぐや姫の話に、自分で考えて、間《ま》を入れて話してみる

ステップ 27

第三者の意見を言う

「Ⅵ　プレゼンターの人間性の向上技術」　難易度★★★

【客観的に物事を見られる人かどうかを聴衆は見ている】


自分の主張が一番正しいって思い込んでる人っているでしょ？

「盲信」というと言葉が悪いですが。

そんなプレゼンター、ちょっと怖いですよね。

そんな人は、聴衆の目に「危ない人」として映ります。

逆に、自分を客観的（第三者的）に見ることができる人は安心できます。

これはプレゼンターに限らず、日常生活の発言でも同じですけどね。

プレゼンターは客観的に自分のプレゼンを見られるようにしないといけないです。

「今の自分はちょっとのめり込みすぎてるな～」

「聴衆を放ったらかしにしてるなあ」

「会心のギャグがスベってるぞ」

「聴衆を完全に引かせてしまってるわ」

「この発言はまったく響いてないやん」

とかね。

ただ、これができるようになるのが難しいんですけどね。


【第三者の意見をズバッと言う】


で、客観的に自分を見ることができたら、次にどうしたらいいかというと、第三者の声を、ズバッと壇上で言ってしまったらいいんです。

たとえば……。

『僕、今、周り見えてなかったですよね？』

『私、今、みなさんをここに残したまま一人でどこかに行ってましたね』

『今のギャグ、思いっきり滑りましたね』

『潮干狩りできるくらいめちゃくちゃ引いてますや〜ん！』

『私の話、あんまり響いてないでしょ？　ちょっと違う例えで説明しますね』

とかね。

そうすると、聴衆は、「ああ、この人は客観的に物事が見える人だ」と安心します。
僕の言いたいこと、伝わってます？
聴衆は、危ない人のプレゼンを聞きたいのではありません。
客観的視点のある方のプレゼンを安心して聞きたいのです。
「客観的な発言は聴衆を安心させる！」――これをぜひ覚えておいてください。
えっ⁉　この本のところどころに出てくる僕のギャグがスベってる？
僕自身が自分のことを客観的に見えてるのか？って？
ウソでしょ？
大爆笑取れてると思ってた！

【見本】　桃太郎が2人を説得するにあたり、第三者の意見を入れると……（関西弁バージョン）

桃太郎　「おじいさん、おばあさん、ちょっと話があるねん」
おばあさん　「なんやの？　急に改まって」
桃太郎　「俺、鬼ヶ島の鬼を退治しようと思てるねん」
おばあさん　「あんた、な、な、何を急に言い出すねんなあ！」

おじいさん「桃太郎、お前、今自分が言うてること、わかってるんか？」
桃太郎「わかってるよ」
おばあさん「わかってるって、桃太郎、あんた……」
桃太郎「血迷ったことを言うてることは重々承知してる」
おばあさん「そこまでわかってるんやったら、なんで……」
桃太郎「わかってるけど、やっぱり許せへんのや」
おじいさん「我慢しとったら、細々とは生きていけるがな」
桃太郎「そのとおりや。百人が百人とも我慢しとけって言うことも十分わかってる。俺の腕っぷしでは鬼を倒せるわけがない、ってことも。無謀なことを言うてるってことは重々承知してるんや。そやけどやっぱり悪い奴は許せへんのや」
おじいさん「そこまでわかってても、そんな怖いこと言うんかいな〜」
桃太郎「そや。それでも俺は行きたいねん」
《以下省略》

【練習問題】月に帰るかぐや姫が２人を説得するにあたり、第三者の意見を入れると

ステップ 28

聴衆を褒める

「Ⅵ　プレゼンターの人間性の向上技術」　難易度★★☆

【緊張の中、聴衆を褒めることができる人は本物】

プレゼンターは、絶対緊張してます。
いや、おそらく緊張しているだろう。
いや、緊張するかもしれない。
いや、緊張するべきだ。
よくわからなくなりましたが、とにかく緊張するということです。
普段と同じテンションでプレゼンに臨んでる人なんかこの世にいません。
僕なんか、ド緊張するタイプなので、頭真っ白、顔真っ赤、お腹ピーピーです。
目は魚のスイミーより泳いでいます。
まぁ普通の人はたいていこんなふうになりますよね。

だからこそ、そんな状態の中、聴衆を褒めることができる人ってすごいのです。

だって頭が真っ白になっても、聴衆を褒めることを忘れない人なんでしょ？

根っこから「いい人」に決まってますもん！

『今日来られてる方々は皆様イキイキとしたお顔をされていますね～』

『初めてここに来させてもらいましたが、交通の便も完備されてる上に、自然も贅沢すぎるくらいあって、日本一の場所ですね』

『わあー。今日の来られてる方はみなさん本当に熱心に聞いてくださっていますよね～。プレゼンターにとって本当にありがたいです』

こんなふうに言われると聴衆は素直に嬉しいです。

同時にプレゼンターの良い人柄を感じ取れます。

聴衆は、このような「いい人」であるプレゼンターの話を聞きたいと思うでしょう。

【褒めるときの注意】

このように褒めることとは大事なんですが、注意事項として、嘘だけはダメですよ。

嘘ついて褒めるのは「お世辞」であって、かえって聴衆に不信感を与えてしまいます。

人は見え透いたお世辞を嫌います。

だから、誠意を込めて褒めることが大切です。

あなた自身が、本当に素晴らしいなあと心から思ってあげないとダメってことです。

ぜひ、普段から人の長所を見る訓練をしましょう。

ちなみにデール・カーネギー・コースでは徹底的に長所を見るトレーニングをします。

プレゼンだけではなくて人生そのものに役立ちますのでお勧めします。

で、きちんと長所を見る訓練をしておくと、自然に褒め言葉が出ます。

そして、褒めるときに絶対に必要なのが「根拠（理由）」です。

これを、明確に伝えてあげたら、あなたが心から思ってることが証明されます。

『メモを取って下さってる方多いですね。勉強熱心な方ばっかりですね』

『私のプレゼン資料が映らなかったときに、資料なしで耳を傾けてくださいましたよね。みなさんの度量の大きさに感謝です』

根拠があると褒め言葉が生きます。


【見本】桃太郎が退治した鬼たちを前に説き伏せている場面で、鬼たちを褒める

桃太郎「みなさんが反省されているので、これ以上の攻撃はしません」
赤鬼さん「桃太郎さん、本当に申し訳ない。ごめんなさい」

青鬼さん　「赤鬼の言うとおりだべ。俺たちは自業自得だ」
桃太郎　「みなさん、本当に素晴らしい鬼さんですね。なぜなら、自分の非を認めて、ちゃんと謝ったからです」
赤鬼さん　「謝ることはそんなすごいことなんかい？」
桃太郎　「そりゃそうですよ。謝ることはとても勇気がいることです」
黄鬼さん　「じゃ、俺たちは勇気があるってことなんか？」
桃太郎　「そのとおりです。勇気がある鬼さんたちです」
赤鬼さん　「そんなこと言うてもらえると嬉しいよな」
桃太郎　「人間の世界でも、素直に謝れる人は本当に少ないですよ。みんな、謝ることは負けることだと思っているんでしょうね」
緑鬼さん　「人間界でもそんなもんなんかい？」
桃太郎　「人間界のほうがプライドも高くて、謝れる人ってずっと少ないです」
《以下省略》

【練習問題】月に帰るかぐや姫が、集まった人々を前に、褒めるシーン

ステップ 29

例える

「Ⅶ 説得力を向上させる技術」 難易度★★☆

【例えはお笑いでも取り入れられている】

フットボールアワーの後藤さんとくりーむしちゅーの上田さん。

この2人って「例え」がうまいですよね。

「温度差ありすぎて風邪ひくわ！」

「お前よくそんなギャグ出せたな。陶芸家やったら割ってるやつやで」

「靴の中に入った小石くらい気になるよ」

「11月に冷やし中華始めましたくらい遅いよ！」

とかね。

例えを使うと、わかりやすし、おもしろいんです。

しかも、納得できるから説得力がある。

物事が、ストンと腹に落ちます。

【お薦めの本】

『たとえる技術』という本が文響社・新潮文庫から出版されています。

著者せきしろ氏が書かれた、「例える」ことに特化した名著です。

天才文筆家だけあって具体例が秀逸で、僕も本書の中で具体例を拝借しています。

この本を読めば「例える技術」が身に付きますので、ぜひこれで勉強してください。

【例える技術を獲得するには……】

自分自身でも例える技術を磨きたかったらどうするか。

それは、みんなが同じイメージを抱いていることを収集しておく、といいですよ。

または、みんなが同じ行動をしていることを収集しておく、でもいいです。

いわゆる、「あるある」を集めておくんです。

「昼食後の授業→眠い」

「配布されたばかりの教科書が自分だけ汚れてる→悲しい」

とかね。

他にも、

「ずる休みして観るアニメ番組↓つまらない」

「テレビショッピングの進行役↓わざとらしい」

「体育館の天井に挟まってるバレーボール↓気になる」

「予想してた髪型ではない方向に行きかけてる散髪中↓微妙に頭動かして抵抗する」

「バスがいつもと違う方向に曲がったとき↓とまどう」

「6月のプールの授業↓くちびるが紫になるくらい寒い」

「ハーゲンダッツを食べているとき↓優越感」

「先輩から『今日の部活、ないぞ!』って言われた↓世界一のしあわせ者」

「三者懇談のときの先生↓妙に優しい口調」

こういうのを集めておくんです。

それをプレゼンのときに使うんです。

たとえば……

『人のしぐさって気になりますよね?』

『体育館の天井に挟まってるバレーボールくらい気になりますよね』

とかね。

『平均点を30点も上回ったらさすがに優越感に浸りますよね』

『ガリガリ君を食べてる友だちの横でハーゲンダッツ食べるくらい、優越感に浸れますよね〜』

とかね。

【見本】 桃太郎の話に、例えをあえてたくさん入れて読む

カーネル・サンダースのような笑みを浮かべる優しいおじいさんがいました。

そして保育園のもみじ組の山本先生のような明るいおばあさんも、いました。

2人は、OLが日曜日に使うバランスボールくらい大きな桃を切りました。

すると、半ズボンの勝俣さんのような元気な男の子が飛び出してきたのです。

B'Zの曲がバックに流れてるかのような盛り上がりようでした。

これ以上愛することってできるの?と尋ねたくなるくらい、溺愛しました。

私のモテ期くらい短い間に、すくすくと青年に成長した桃太郎。

ある日、桃太郎は衝撃的なことを告げます。

その言葉は、試合終了のサイレンのように聞きたくない言葉だったんです。

「俺、鬼退治に行ってくる!」

甲子園球場で、自分がエラーしたボールを見つめるセカンドのように、2人は茫然としてしまいます。

3年生が卒業したあとの教室のように、心が空っぽになってしまったのです。

おばあさんはヘビメタを聞いてもバラードに聞こえるような気持ちでした。

バスが違う方向に曲がったときくらいとまどったおばあさんでしたが、気を取り直して、きび団子を作りました。

そして、廊下でぶつかった女性が後のお嫁さんになる映画のような運命的な出会いがこのあと訪れます。

返事を0・2秒で返してきそうな忠実なイヌとの出会い。

親指で鼻を右から左にこすってニヤッと笑いそうなサルとの出会い。

「俺も何かに例えてくださいよ！」って、肩を叩いてきそうな人懐っこいキジとの出会い。

《以下省略》

【練習問題】かぐや姫の話に、例えをあえてたくさん入れてみる

ステップ30

絶対、まったく、100％、という強調語を使う

「Ⅶ　説得力を向上させる技術」　難易度★☆☆

【この単元はプレゼン初心者用です】

このステップは、プレゼン初心者の方に読んでもらいたい単元なんです。

プレゼンの場数が踏めていないと、どうしても強く主張することができませんよね。

まだ自信がないですからね。

自信があると次のように言うことができます。

『社会に出たときに絶対に必要となってくる力は、察する力なんです！』

『今の教育ではまったく創造力は鍛えられません！』

『ストレスは１００％、意識でコントロールできるんです！』

こんな感じですね。

自信がないとこんな感じですよね。

『社会に出たときに必要となってくる力は、察する力です』

『今の教育では創造力は鍛えられないと思うんです』

『ストレスは意識でコントロールできると思います』

とても優しい表現になります。

これはこれで心のピュアさが伝わってきますから好感が持てますけどね。

結論をいうと、これでも悪くないんです。

むしろ変な強調語を入れない分、誇張癖がなく、信用できると感じる人も多いです。

ただ、時には強く迫る技も必要な場合があります。

自分の主張をなんとか受け入れてもらって相手に行動してもらいたいときです。

たとえば、就職活動を怖がってばかりいる学生に対して、

『選ばれるのではなく、あなたを選ばせるために、絶対に人間性を磨くべきだ！』

『魂込めて仕事してる人が必ず出世します。学生といえども、その心意気があなたにはまったくない！』

とかね。

要するに優しい表現も大事にしつつ、強く言う技術も持っておいてほしいです。

野球のピッチャーで例えれば、投げることのできる球種は多いほうがいいですよね。

ストレート、カーブ、シュート、フォーク、チェンジアップ、ナックル。

ストレートがダメならカーブでバッターを打ち取れますから。

プレゼンでも同じです。

素朴に語りかける技も必要ですし、強調して相手に迫る表現方法も大事です。

プレゼンに慣れていない人は、強調して迫っていく表現方法が苦手な人が多いです。

ですので、その練習をすれば幅が広がります。

逆に、プレゼンがベテランの方に注意をお伝えします。

「絶対、まったく、100%」を使いすぎると嘘っぽくなりますのでやめましょう。

そもそも世の中に100%の事象などありませんので。

「話を大げさに言う人」という烙印を押されないように気を付けてください。


【その他の副詞】


「ついに」「とうとう」「いよいよ」も強調する言葉です。

「ついに登場します」「とうとう出番が回ってきた」「いよいよ出発します」。

これらを言われたら、ついつい耳が「注目」してしまうでしょ?

良かったら参考に。

【見本】桃太郎会社に就職したイヌ、サル、キジに見る就職活動についての考察に強調語を入れてみる

イヌ、サル、キジはきび団子1個だけで鬼退治を決意しました。

3匹は厚遇を要求せず、何よりも「鬼退治による平和の確保」を願っていました。

その姿勢に、社長の桃太郎氏も心動かされ、採用を決意したと思うのです。

就職活動をする方々に1つ提言します。

「あなたが社長であればどんな人を採用するのか」

これを軸に考えてみると自分の行動指針がわかりますよ。

労働条件ばかり気にする人と、会社と世の中の利益を考えて一心不乱に働こうと考えている人。

あなたならどちらを採用するのでしょうか?

もちろんこの場合、後者でしょうし、得てして条件を度外視して一心不乱に働く者に周りは厚遇を与えてきます。

あなたが社長であれば、そんな人には給料を多く出してやろうとするでしょ?

阪急東宝グループの創始者小林一三氏の名言が思い出されます。

「下足番を命じられたら日本一の下足番になってみろ。そうしたら誰も君を下足番にはしておかぬ」

職場の人は見ていないようでしっかり見ています。

一生懸命働く者はすぐにわかります。

逆もすぐにわかります。

一生懸命働く人は世の中の財産ですから、世の中が放っておきません。

いろんな会社からオファーが届きます。

社長はそれがわかっていますから、その人に残ってもらおうと厚遇を提示します。

誰でもわかる簡単な図式です。

就職したら**絶対に**魂を込めて仕事をしてください。

そうでなかったら社会からは**まったく**必要とはされません。

条件ばかりを気にして仕事を探している人は**100%**失敗すると思います。

どの分野でも日本一になれば世間は放っておきません。

【練習問題】なぜ千年前の物語「かぐや姫」が今もなお色あせないのか、についての考察に強調語を入れてみる

ステップ
㉛

プレゼン者の中で一番大きな声を出す

「Ⅶ　説得力を向上させる技術」　難易度★★☆

【声が大きいメリット】

筋肉ムキムキの人ってケンカ強そうでしょ？

それと同じかどうかわかりませんが、声の大きな人は、声の小さい人に比べてプレゼンの世界では有利になります。

聴衆はプレゼンターの声の大きさに、プレゼンターの自信を感じるからです。

そして、声が大きいと迫力も出てきますので、その場を制圧できます。

それらが相まって、説得力が増します。

さて、みなさん、ご自身の声量はどうでしょうか？

【大きな声を出すには教養がいる】

日本を代表する写真家の土門拳さんの言葉に、
「気力は目に出る。生活は顔色に出る。年齢は肩に出る。教養は声に出る」
というのがあります。
確かにこれはそのとおりで、教養があれば自信がついて力強い声になります。
逆に、よく知らないことについては、どうしても小声になってしまいますよね？
大きな声でプレゼンするには教養もいるってことです。

【地声を大きくする方法】

私は壇上で大きな声を張り上げるのを勧めているのではありません。
張り上げるのではなく、地声を大きくしておくのが良いと思ってるんです。
「そっちのほうが難しいでしょ！」
ってツッコまれそうですけどね。
つねに声を張り上げられたら聴衆はしんどくなります。
基本の声量が大きいと、聴衆はしんどさを感じずに済みます。
ただ、地声を大きくする方法は専門家ではないのでわかりません。

ネットで調べると、

「腹筋や肺活量を鍛える」

「声帯の閉鎖力を強くする」

などが出てきます。

他にも、姿勢、口の開き、舌の力、腹式呼吸などの項目も見受けられます。

ボイストレーニングやカラオケで鍛えるという方法も勧められています。

劇団に所属している友人がいれば教えを乞うてもいいでしょう。

結論からいえば、理由や方法はなんでもいいです。

ぜひご自身に最適な方法を見つけて、声量アップを試みてください。


【油断すると声は小さくなる】


いくら声量があっても、意識しなかったら、声は会場の後ろまで聞こえません。

大きな声を出そう！と気合を入れていかないとダメです。

しかも、油断すると声ってだんだん小さくなってきますよ。

自信がなくなったり、疲れてきたりすると小さくなるようです。

かつて、M－1グランプリに出場した際、自分では大きな声を出してるつもりでした。

でも、聴衆の方が漫才終了後に、

「だんだん声が小さくなって、最後のほうは声が聞こえてなかったですよ」

と指摘してくださいました

めちゃくちゃショックでした。

自信のなさが原因だと思われますが、これはかなり凹みました。

それに対して、プロ漫才師の方たちはやっぱりすごかった。

会場はもちろん舞台袖、楽屋まで響き渡る大きな声で爆笑を取っておられました。

しかも、漫才の最初から最後まで声量が落ちずビンビン届いてきます。

僕はそれ以来、声の大きさはプレゼンの最中も一番意識しています。

ところで、僕の声の大きさ、興味ないですか？

残念ながら本では僕の声の大きさが伝わらないのでねえ。

でも伝わらないのって、悔しいなあ。

じゃ、僕の声の大きさに関するわかりやすい現象を紹介します。

僕がプレゼンを開始した第一声で、会場に笑いが起きます。

スタッフもニヤニヤしています。

聴衆の何人かはキョロキョロします。

「この人の声量、おかしくない？」

こんな心の声が聞こえてきます。

「声の大きさだけで会場がざわめく」

私にとっては１つの勲章だと思っています。


ただ、こんな僕でもM−1では声が聞こえてなかったのです。

改めて、芸人さんの技術の素晴らしさに脱帽ですし、演劇の部門で活躍されておられる方々から学ばれることをお勧めします。


【見本】声を張り上げずに、地声を大きくして、桃太郎を読む

このステップの見本は載せられません。

急に地声は大きくなりませんので、意識するだけで結構です。

桃太郎を力強く読みましょう。


【練習問題】声を張り上げずに、地声を大きくして、かぐや姫を読む

ステップ32

接続詞を入れない

「Ⅷ　無駄を削除する技術」　難易度★★☆

【テンポよく話すときは、順接の接続詞は不要】

順接の接続詞は入れないほうがテンポがいいんです。
接続詞ってわかりますよね？
「そして」「だから」「つまり」「しかし」という、文と文をつなぐものです。
この中で順接の接続詞ってどれかわかりますか？
「そして」と「だから」です。
この順接の接続詞、なくても話はキチンと通じます。
むしろ、なくしたほうが文章がスリムになってテンポ良くなります。
ただ、逆接の接続詞「しかし」「だが」「けれども」は、あったほうがいいですよ。

【サルカニ合戦で実験】

たとえば、

「むかしむかし、サルがカキの種《たね》をひろいました。すると、そこにおいしそうなおにぎりを持ったカニがやってきました。そこで、サルはカニのおにぎりが欲しくなりました。そしてサルはカニに交換しようと言いました。しかし、カニは断りました」

という文章があったとしましょう。

この中の順接の接続詞を取ってみますね。

「むかしむかし、サルがカキの種《たね》をひろいました。そこにおいしそうなおにぎりを持ったカニがやってきました。サルはカニのおにぎりが欲しくなったのです。サルはカニに交換を提案！　しかしカニは断ったのです」

ちょっと脚色入ってますけど、どうですか？

順接の接続詞を取ったらスッキリするでしょ？

しかも、テンポも速くなるんです。

何も全部の順接の接続語をカットしろ、とは言いません。

必要なときだけでいいんです。

この「タタタタターン」っていうテンポを大事にしてほしいのです。

現在はテレビも演劇も映画もすべてテンポアップが図られています。

それらのテンポアップに慣れた方々が、みなさんのプレゼンの聴衆です。

「順接の接続詞をカットする」という技をどこかで使ってもらえると嬉しいです。

あっ、ただ、面接のときは接続詞は入れて話すべきですよ。

なかったら、面接官に日本語の正しい話し方を指導されてしまいますので。


【見本】もともと桃太郎は接続詞がほとんど入っていないのですが、さらにカットして話してみる

「お腰に付けたきび団子を1つくださいな。お供しますよ」

イヌはきび団子をもらい、桃太郎のお供になります。

サル、キジが順番に現れ、きび団子を欲しがります。

桃太郎は、鬼ヶ島へ同行することを条件に、きび団子を分け与えるんです。

イヌ、サル、キジの3匹は桃太郎の家来となり船で鬼ヶ島へと向かいます。

鬼ヶ島では鬼たちが酒盛りの真っ最中でした。

「みんな、気を抜くなよ。それ、かかれ！」

桃太郎は叫びました。

イヌはおしりにかみつきました。
サルは鬼の背中をひっかきます。
キジはくちばしで鬼の目をつつきました。
桃太郎も、刀をふり回して大あばれ。
とうとう鬼の親分が、
「まいったぁ。まいったぁ。降参だ、助けてくれぇ」
と、手をついて謝りました。
奇襲を仕掛けた桃太郎と3匹の家来は大勝利。
鬼が悪行を重ねて集めた宝物を台車で引き村へと持ち帰りました。
おじいさんとおばあさんは、桃太郎の無事な姿を見て大喜びです。
3人は、宝物のおかげでしあわせにくらしましたとさ。

【練習問題】物語「かぐや姫」の接続詞を極力カットして読んでみる

ステップ
33

主語を表す助詞を入れない

「Ⅷ　無駄を削除する技術」　難易度★★☆
【助詞取る→リズム感出る→これ、オススメ】
さきほど接続詞を入れない、っていうのをお伝えしました。
同じく、主語を表す助詞（〜が、〜は）も省けば、リズムが良くなりますよ。
ひょっとして「接続詞だけではなく助詞もカット!?」って驚いてます？
確かに接続詞も助詞もきちんと入れないとダメ！って学校で教わってますもんね。
でも、まあ1回トライしてみてください。
プレゼンでは、主語を表す助詞がないほうが、確かにスピードも出るんです。
スピードが出たら、放っておかれないように聴衆は集中力を上げてきます。
たとえば、
「むかしむかし、サルがカキの種《たね》をひろいました。すると、そこにおいしそうなおにぎりを持ったカニがやってきました。そこで、サルはカニのおにぎりが欲しくなりました。そしてサルはカニに交換しようと言いました。しかし、カニは断りました」っていう文章があったとしましょう（これ、さっきのステップのと同じ）。

これの主語を表す助詞をカットしてみますね。

「むかしむかし、サル、カキの種《たね》をひろいました。そこにおいしそうなおにぎりを持ったカニ、やってきました。サル、カニのおにぎりが欲しくなりました。サル、カニに交換しようと言いました。しかし、カニ、断りました」

こんな感じ。

あっさりしてるでしょ？

トマトにドレッシングではなくて、塩振って食べた感じでしょ？

……。

トマトの例えが僕自身もよくわかりませんでしたが、言いたいこと、伝わってます？

なくても通じるものは、カットしたほうがあっさりしててスピード感が出ます。

ただ、これを言うときの注意点を一つお伝えします。

抑揚がかなり必要だということです。

【見本】桃太郎の話を、なるべく助詞（～は、～が）を省きながら読む

おばあさん、大きな桃をひろいあげて、家に持ち帰りました。
なんと桃の中から元気な男の子、飛び出してきました。
子どもがいなかったおじいさんおばあさん、大変喜んで、桃太郎と名付けます。
桃太郎、突然鬼退治に行くと言い出します。
おじいさんとおばあさん、もう大反対。
しかし、最終的にはきび団子を腰にぶら下げ鬼ヶ島へ出発しました。
旅の途中で、イヌに出会いました。
イヌ、きび団子をもらい、桃太郎のお供になりました。
その後、サルやキジ、順番に現れお供になります。
イヌ、サル、キジの３匹と桃太郎、船で鬼ヶ島へと向かいます。
鬼ヶ島の鬼たち、なんと酒盛りの真っ最中でした。
《以下省略》

【練習問題】かぐや姫の話を、なるべく主語を表す助詞を省きながら読む

ステップ
34

「など」ってなんで使うねん?

「Ⅷ　無駄を削除する技術」　難易度★☆☆

【細かい指摘で申し訳ありませんが……】

「麗香さん、あなた、お座敷の障子にホコリが溜まってましたわよ!」

「すみません、お母さま!　すぐにやり直します!」

これ、昼ドラでよく見る一場面です。

姑《しゅうとめ》が嫁に細かいことを言っていびるシーンです。

今回のステップはこれに似てまして、非常に細かいことをお伝えします。

怒らないでくださいね。

みなさん、プレゼン中に「など」って言葉使ってませんか?

「アメリカ人やイギリス人など」「ブランコやすべり台など」の「など」です。

他にも「映画やテレビなど」「桃やブドウなど」の「など」です。

先に結論を言っておきますと、この「など」という言葉、使うのをやめましょう。
今みなさんの頭の中に「なぜ？」という言葉が出てきましたよね。
見えましたよ。
今からなぜかを説明しますね。

【「など」を使うと話がボケる】

なぜ「など」を使用中止にするのか？
それは「など」を使うと話がボケるからなんです。
例えを挙げましょう。
学校の先生が、
「今回の模試悪かったな。今日から1か月間、数学などを頑張って勉強しろ！」
って言ったらどうでしょう？
「数学など」って言葉をどう思いますか？
ここは「数学！」で言い切らないとダメな場面ですよね？
「など」っていう言葉、要らないですよね？
僕が言いたいこと、伝わってます？

やたらに「など」を入れる人がいますが、それをやめるべきだと提言しています。

入れれば入れるほど内容がボケるからなんです。

『趣味は、サーフィンやゴルフ、読書などです！』

の「など」も、入れることによって、ボヤ～ンとしてきますよね。

「入れなきゃいいのに」と思ってしまいます。

聞き手が頭に映像を思い浮かべるとき、「など」が邪魔になるんです。

サーフィンやゴルフ、読書の映像の横に、得体の知れない雲みたいなものが出てくるんです。

だからやめましょう。


【「など」を使っても何も生み出さない】


そして、もう1つ。

プレゼンで「など」を使っても何も生み出してくれません。

『私はリンゴやキウイなどが好きなんです！』

って言っても、聞き手の頭に浮かぶのはリンゴとキウイの絵だけです。

いちいち「など」を想像して、聴衆が「パパイヤ」の映像を出してきてくれません。

効果のない「など」はやめたほうがいいんです。

【なぜ「など」を入れる人が多いのか】

ではなぜ「など」を入れてしまうのでしょうか？
単純な理由ですが、1つに絞り切れないからです。
「あれもこれも言いたい症候群」だからです。
気持ちはとてもわかりますが、あえてスパッと切る！
プレゼンでは、この「言葉を切り捨てる力」が必要です。
「など」以外には、「とか」「あたり」も同じです。
『私は休みの日には、図書館とかによく行きます』
『ドライブでよく行くのは、京都あたりですかね』
……要らないです。

【見本】桃太郎を、あえて「など」「とか」「あたり」を多用して読む

むかしむかし、あるところにおじいさんなどがいました。
おじいさんは山などへ芝刈りに、おばあさんは川とかへ洗濯に行きました。

おばあさんが川で洗濯などをしていました。
すると、川の上流あたりから大きな桃とかが流れてきました。
桃などを食べようと割ったところ、桃の中から元気な男の子が飛び出しました。
子どもとかがいなかったおじいさんなどは大変喜んで、大事に育てました。
鬼に金品などを奪われる村人などを見て、桃太郎は鬼退治を決意しました。
きび団子とかを腰にぶら下げ鬼ヶ島あたりへと出発しました。
旅の途中で、イヌなどに出会いました。
イヌなどはきび団子をもらい、桃太郎のお供になりました。
鬼ヶ島では鬼とかが酒盛りなどの真っ最中でした。
《以下省略》

【練習問題】かぐや姫を、あえて「など」「とか」「あたり」を多用して読む

ステップ ㉟

「体言止め」を使う

「Ⅷ 無駄を削除する技術」 難易度★☆☆

【体言止めって何?】

「体言止め」ってご存じですか?

名詞で止める表現技法です。

これを使ったら、テンポが良くなって、耳触りが良くなりますよ。

食べ物で例えると、シャキシャキの長芋サラダみたいな感じ。

毎度毎度よくわからない例えですが、慣れましたか?

【メリット】

体言止めは、文章が短くなるから、聞きやすいです。

リズムも良くなります。

しかも体言止めの部分が強調されて、そこが印象に残りやすいんです。
例を挙げてみますね。

《普通の文》

僕は先週ハワイに行ってきました。
ワイキキビーチに行って、生まれて初めてサーフィンをしました。
そこで見るサンセットにも心奪われました。

↓

《体言止めの文》

僕は先週ハワイに行ってきました。
ワイキキビーチに行って、生まれて初めて挑戦したのがなんとサーフィン！
そこで見るサンセットにも心奪われました。

ほら、文末表現が変わるとリズムが変わるでしょ。
すると、印象にも残りやすいです。

【使いすぎは禁物】

ただ、なんでもそうですが、使いすぎるとダメです。

《体言止めを使いすぎる悪い例》

僕が先週行ってきたのがハワイ。

ワイキキビーチで生まれて初めて挑戦したのがサーフィン！

さらに感動したのがワイキキで見るサンセット！


……どうですか？

なんか、しんどいでしょ？

ほどほどに使いましょう。


【体言止めは途中に入れる】


先ほどのワイキキビーチの例で、体言止めを真ん中の文に使ってましたよね？あれが1つのポイントでもあります。

体言止めは最初から使うのではなくて、喋ってる途中に使うと効果的なんです。

「ドリブルの途中にピタッと止まるフェイント」を思い浮かべてもらうとなんとなくイメージが湧くかもしれません。

わざと一本調子を狂わす、それが体言止めの役割でもあります。

【見本】桃太郎を読む際に、体言止めを適度に使ったら……

むかしむかし、あるところにおじいさんとおばあさんがいました。
おじいさんは山へ芝刈りに、おばあさんは川へ洗濯に行きました。
おばあさんが川で洗濯していると、ドンブラコと流れてきたのが大きな桃。
「おや、これは良いおみやげになるわ」
おばあさんは大きな桃をひろいあげて、家に持ち帰りました。
桃を食べようと割ったところ、飛び出してきたのは、なんと元気な男の子。
子どもがいなかったおじいさん、おばあさんは大変喜びました。
桃から生まれた男の子に桃太郎と名付け、大事に育てました。
桃太郎はすくすくと育ち立派な青年になりました。
ある日、鬼に金品を奪われ困る村人を見て、桃太郎は鬼退治に行くと宣言。
おじいさんとおばあさんは反対します。
《以下省略》

【練習問題】かぐや姫を読む際に、体言止めを適度に使って読みましょう

Good!

第4章

プレゼンは「見た目」が10割!

◎「見た目」も大切

「プレゼンは見た目が10割！」という章タイトルになっています。

……。

そろそろツッコんでくださいね。

「内容」も「伝え方」も「見た目」も全部10割っておかしいでしょ！ってね。

ツッコんでもらえるのを前提で書いてますからね。

でもね、言い訳させていただきますと、なかなか順番は決められないんです。

3つのうちでどれが大事かなんて、ね。

3人の子どものうち誰が一番かわいいですか？って聞かれるみたいなものですから。

親にとってはみんなかわいい子どもに決まってますもん。

結論、「内容」「伝え方」「見た目」の3つともプレゼンには大切だ！なんです。

だからこの章も全力で伝えていきますよ～。

「見た目が大切」というのは、本やネットでさんざん言われてることですよね。
「メラビアンの法則」も知らない人がいないくらい、ここ最近で有名になりました。
そういうことを裏付けとして、きっと見た目は大事なんでしょう。
ぜひ身だしなみをキチンと整え、清潔感を持って壇上に立ってください。

◎視覚的な「動き」を学ぶ

僕は、この章では見た目の「動き」に焦点を当てます。
突然ですが、みなさんはプレゼンの始めと終わりに「礼」はしますよね？
「起立！　礼！」の礼です。
あくまで個人的な意見ですが、
「礼の仕方一つで、プレゼンターの人柄、プレゼンの中身がわかる」
と僕は結論付けています。
常識すぎて40のステップには挙げてませんが、とにかく「礼」を大切しています。
「礼」は第一印象を形成するうえで、一番大事な要素だと思っています。
では改めて第4章を始めさせていただきます、礼！

ステップ36

ニコーって笑う

「Ⅵ　プレゼンターの人間性の向上技術」　難易度★☆☆

【笑顔の力】

笑顔はすさまじい威力を持ってます。
でも、世の中には全然笑わない人、いますね。
もったいない。
思わず「あなた、なぜ笑わないの？　損してますよ」って言いたくなりますもん。
みなさんの好きな芸能人の顔、今ちょっと思い浮かべてみてください。
キンプリさん、嵐さん、乃木坂さん、新垣結衣さんとか。
頭に思い浮かべた方々の表情、どんな表情してます？
ムス～って怒ったような顔してますか？
してないでしょ？

みんなみんな笑顔でしょう。
だから人気が出るんですよ。
万国共通、永久の法則だと思いますが、笑顔はみんなに好感を持たれるんです。
この笑顔の法則、プレゼンに使ってますか？

【笑顔で話すと聞いてもらえる】

壇上に上がるとき、笑顔で楽しそうに前に出て行ってますか？
眉間にシワ寄せて「はあ〜嫌だなあ」ってため息つきながら出て行ってません？
笑顔の人の話と眉間にシワ寄せる人の話、どっちが聞きたいですか？
笑顔の人の話に決まってますよね。
わかりきっていることなのになぜ笑顔で話さないんでしょう？
多分、プレゼンへの緊張で、笑顔が作れないんでしょうね。
でも、それではダメです。
逆の発想で、緊張してるときこそ笑顔を作るんです。
表情筋の刺激が脳に伝わり、その表情に合った感情を脳が生み出すからです。
無理やりにでも笑顔で話すと、自信があるように見えます。

さらに聴衆はあなたの笑顔を見たら安心します。
「そんな楽しそうに話すことってなんだろう?」って、興味も湧きます。
元に戻りますが、必ず壇上に駆け上がるときから笑顔で行きましょう!

【見本】桃太郎くんの友人代表で、ニコーって笑いながら壇上に出ていく浦島太郎

では、今から桃太郎くんの友人代表の方にスピーチをしてもらいましょう。
その方は、中学時代の同級生浦島太郎さんです、どうぞ、壇上にお上がりください。
はーい!
(大きな返事をして、ニコー)
(歩きながら、ニコー)
(聴衆のほうへ会釈しながらニコー)
(壇上に立って、ニコー)
ただ今ご紹介いただきました浦島太郎と申します。(ニコー)

【練習問題】かぐや姫の友人代表で、ニコーって笑いながら壇上に出ていく親指姫

ステップ
㊲

表情は6パターン必要

【Ⅵ　プレゼンターの人間性の向上の技術】　難易度★★☆

【聴衆は表情しか見るものがない】

なんだかんだ言って、聴衆はプレゼンターの顔を見てますよね。
だって、そこしか見るものがありませんもんね。
顔見ないで脚見てる人ってちょっと危ない人ですもんね。
ということで、前のステップでも学んだとおり、笑顔はやっぱり大事です。
ただ、笑顔も大事なんですが、真面目な話をするときには真剣な表情が必要です。
時に、プレゼン中に、せつない内容を語ることもあるでしょう。
そんなときは悲しい表情も浮かべる必要があります。
つまり、いろいろな表情ができるようにしなければいけないということです。

【プレゼンターは役者】

役者さんは、喜怒哀楽を見事に演じ分けておられますよね。

香川照之さんなんか、どんな役柄のどんなシーンでも視聴者を釘付けにさせます。

表情が100パターンくらいありそうです。

プレゼンの大家デール・カーネギーさんは元役者さんでもありました。

ですので、表情を豊かにすることもトレーニングコースに入っています。

おかげで僕も鍛えられました。

プレゼンターは「役者」にならないといけないんです。

前に立って自分の意見を発表する「役者」さん。

そういう定義で壇上に立ちましょう。

【6パターンの表情】

最低6パターンの表情は練習しておいたほうがいいです。

「笑顔」「喜びを爆発させた顔」「怒り狂った顔」。

「失意のどん底の顔」「真剣な顔」「驚いた顔」。

これは練習が必要です。

鏡を用意して部屋で練習しましょう。

【見本】　桃太郎をいろんな表情を交えて音読してみよう

《笑顔で》むかしむかし、あるところにおじいさんとおばあさんがいました。
《笑顔で》おじいさんは山へ芝刈りに、おばあさんは川へ洗濯に行きました。
《驚いた表情》おばあさんが川で洗濯していると、大きな桃が流れてきました。
《喜んだ表情》「おや、これは良いおみやげになるわ」
《笑顔で》おばあさんは大きな桃をひろいあげて、家に持ち帰りました。
《驚いた表情》桃を食べようと割ったところ、桃の中から元気な男の子が飛び出しました。
《喜んだ表情》おじいさん、おばあさんは大変喜んで、桃太郎と名付け、大事に育てました。
《驚いた表情》ある日、桃太郎は鬼退治に行くと言い出しました。
《失意のどん底》おじいさんとおばあさんは泣いて反対しました。
《真剣な表情》ついには桃太郎の熱意に折れ、きび団子を作って送り出します。
《凛々《りり》しい表情》桃太郎はきび団子を腰にぶら下げ鬼ヶ島へと出発しました。

《笑顔で》「桃太郎さん、どこへ行くのですか?」

《凛々しい表情》「鬼ヶ島へ、鬼退治に行くんだ」

《笑顔で》イヌはきび団子をもらい、桃太郎のお供になりました。

《悪の権化のような表情》鬼ヶ島では鬼たちが酒盛りの真っ最中でした。

《悪の権化のような表情》「ヒーヒッヒ。この前も村人の宝を奪ってやったわ。ヒーヒッヒ」

《怒った表情》「くそ、あんな悪い鬼たちは許せない!」

《凛々しい表情》「みんな、気を抜くなよ。それ、かかれ!」

《誇らしい表情》イヌ、サル、キジは八面六臂の活躍を見せました。

《驚いた表情》とうとう鬼の親分が、

《泣いた表情》「まいったぁ。まいったぁ。降参だ、助けてくれぇ」

《驚いた表情》と、手をついて謝りました。

《嬉しい表情》奇襲を仕掛けた桃太郎と3匹の家来は大勝利でした。

《喜びを爆発》おじいさんとおばあさんは、桃太郎の無事な姿を見て大喜びです。

《喜んだ表情》そして3人は、宝物のおかげでしあわせにくらしましたとさ。

【練習問題】かぐや姫をいろんな表情を交えて音読してみよう

ステップ
38

ジェスチャーは良いことだらけ

※ここでいうジェスチャーとは、身振り手振りだけではなく、体全体を使った動きのことを示しています。

「Ⅶ 説得力を向上させる技術」 難易度★★☆

【熱い想いが伝わり、感動する】

1か所に立ったまま身振り手振りなしでプレゼンする人をどう思いますか？
もったいないですよね。
もっと横に動いたほうがダイナミックなプレゼンに映るのに。
ジェスチャーを使って話したほうが、「想い」が伝わりやすいのに。
そんな方には「演劇」を観に行かれることを提案します。
「嘘でしょ?!」っていうくらいオーバーな身振り手振りです。
役者さんは舞台を縦横無尽に走り回ります。
「ナターシャ！　どうして僕の言うことを信じてくれないんだ！」
って、思いっきり両手広げて叫ぶシーンなんかごくごく当たり前。

そのオーバーリアクションを観て、僕らは感動します。
演劇のようにダイナミックに想いを伝えることを目標にしましょう。
プレゼンは演劇の一種と思ってもらって問題はありません。

【わかりやすさと圧倒】

当たり前ですが、ジェスチャーを使ったら物事の詳細を伝えられます。
たとえば、
「サーフィンをしていて大きな波に飲み込まれた」
ことを伝える場合、話だけでは切迫感は伝わりません。
まずは壇上でサーフィンしてるところを演じるのです。
次は、ザバーザバーと打ち寄せる大きな波を演じます。
両手広げて、自分が「波」になり切るのです。
そこから、波に飲み込まれる「人」を熱演しましょう。
恥ずかしさはそこにはありません、むしろ爽快感しかないはずです。
それを見ている聴衆は、
「プレゼンでここまで熱演する人を久しぶりに見た」

と感動していることでしょう。

ここまでやることで、聴衆を圧倒できます。

【変な動作が隠れる】

緊張すると、いろんな箇所が震えるでしょ？

僕も脚が震えます。

ですが、ジェスチャーがそれを隠してくれるのです。

これ、大きなメリットです。

【説得力が増す】

先ほど想いが伝わると言いましたが、それは同時に説得力を増すことにもなります。

「このプレゼンター、一生懸命に伝えようとしている！」

「そんな魂のプレゼンを聞いてみたい！」「信じてみたい！」

となるからです。

改めて、ジェスチャーは様々なメリットをもたらしてくれます。

【見本】桃太郎をいろんなジェスチャーを交えて音読してみよう

《昔を手で表現》むかしむかし、あるところにおじいさんとおばあさんがいました。

《おじいさんを体現》おじいさんは山へ芝刈りにいきました。

《おばあさんを体現》おばあさんは川へ洗濯に行きました。

《桃を表現》ドンブラコ、ドンブラコと、上流から大きな桃が流れてきました。

《おばあさんを表現》「おや、これは良いおみやげになるわ」

《持ち帰る様子》おばあさんは大きな桃をひろいあげて、家に持ち帰りました。

《飛び出す桃太郎》桃の中から元気な男の子が飛び出しました。

《喜んだ２人》２人は大変喜んで、桃太郎と名付け、大事に育てました。

《桃太郎になり切る》ある日、困る村人を見て、桃太郎は鬼退治を決意します。

《失意を熱演》おじいさんとおばあさんは泣いて反対しました。

《２人の様子》ついには桃太郎の熱意に折れ、送り出します。

《桃太郎になり切る》きび団子を腰にぶら下げ鬼ヶ島へと出発しました。

《イヌになり切る》「桃太郎さん、どこへ行くのですか？」

《鬼ヶ島を指さす》「鬼ヶ島へ、鬼退治に行くんだ」

《あなたはイヌ！》イヌはきび団子をもらい、桃太郎のお供になりました。

《鬼の宴会を表現》鬼ヶ島では鬼たちが酒盛りの真っ最中でした。

《鬼になり切る》「ヒーヒッヒ。この前も村人の宝を奪ってやったわ。ヒーヒッヒ」

《桃太郎怒る》「くそ、あんな悪い鬼たちは許せない！」

《指揮官のように》「みんな、気を抜くなよ。それ、かかれ！」

《イヌ、サル、の2役》イヌはおしりにかみつき、サルは鬼の背中をひっかきました。

《キジになる！》キジはくちばしで鬼の目をつつきました。

《驚いた表情》とうとう鬼の親分が、

《泣いた鬼を熱演》「まいったぁ。まいったぁ。降参だ、助けてくれぇ」

《『半沢直樹』を彷彿とさせる土下座をする》と、手をついて謝りました。

《満面の笑顔で》鬼が悪行を重ねて集めた宝物を台車で引き村へと持ち帰りました。

《喜びを爆発》おじいさんとおばあさんは、桃太郎の無事な姿を見て大喜びです。

《しあわせを体全体で》そして3人は、宝物のおかげでしあわせにくらしましたとさ。


【練習問題】かぐや姫をいろんなジェスチャーを交えて音読してみよう

ステップ39

聴衆の目を6秒ずつ見る

「Ⅶ　説得力を向上させる技術」　難易度★★★

【なぜ目を見ることができないのか】

いきなりですが、僕、聴衆の目を見るのが苦手だったんです。
これ、直すのに結構時間がかかりました。
みなさんはどうですか？
聴衆の目見れてますか？
見れない理由はいろいろあるらしいです。
①プライドが高く、他人の評価を意識しすぎる。
②自己肯定感が低く、ネガティブに考えやすい。
③嫌われたくない思いが強い。
とかね。

【目を見ることは信用につながる】

そもそも、聴衆の目を見れなかったら、どうなるのでしょうか?

ズバリいいますと、信用されなくなります。

目を合わせないので、いくら良いことを言っても、嘘っぽく聞こえます。

【聴衆の目を見なければ話にならない】

ですので、プレゼンターはやはり聴衆の目をじーっと見れないとダメなんです。

これ、プレゼンの必須項目です。

サラッと見るぐらいではダメですよ。

じーっと相手の瞳を見つめないといけません。

1人の聴衆を見るベストの時間はいろんな学説がありまして、1人につき3・3秒って言う学者がおられます。

6秒って唱える学者さんもいらっしゃいます。

まあ、長は短を兼ねるので、ここでは6秒に統一しましょう。

6秒というと、高3男子が50メートルを走ってるくらいの時間です。

WEB広告動画も6秒が多いですね。

私が朝起きてバナナを食べる時間も6秒です。

その間1人の人を見続けるということです。

結構長いですよね。

1人が終わるとその横の人をまた6秒見つめるっていう具合です。

見つめることが苦手な方には過酷なトレーニングかもしれませんが、早いうちに直しておいたほうがいいので、さっそく今日から練習してください。

6秒の練習をしておけば、3・3秒くらいだったら軽くこなせるようになります。

ただ、このスキル、身に付けるのには時間がかかります。

長期戦になるでしょうがじっくりトレーニングしていきましょう。


【即行動する】

まずは家族の目を見て話すことから始めましょう。

そして、対象を友だちに広げていきましょう。

まずは、相手の眉間《みけん》あたりを見てみることから始めてください。

ここで注意事項を言っておきます。

怖そうなお兄さん方の目はじっーと見たらダメですよ。
「テメ～ガン飛ばしてきてやがるな！」ってこっちに走ってきますので。

【見本】桃太郎を聴衆の目を6秒ずつ見ながら音読してみよう

《前列1番右の、横山晋太郎くんを見て》
昔々、あるところにおじいさんとおばあさんが住んでいました。
おじいさんは山へ芝刈りに、おばあさんは川へ洗濯に行きました。
《その横の、跡部由一朗くんを見て》
おばあさんが川で洗濯していると、川の上流から大きな桃が流れてきました。
「おや、これは良いおみやげになるわ」
《その横の、榊文子さんを見て》
おばあさんは大きな桃をひろいあげて、家に持ち帰りました。
桃を食べようと割ったところ、桃の中から元気な男の子が飛び出しました。
《その横の、岡令子さんを見て》
おじいさん、おばあさんは大変喜んで、男の子に桃太郎と名付け、大事に育てました。
ある日、困り果てる村人を見て、桃太郎は鬼退治に行くと言い出しました。

《その横の、留学生のシェーン・ゴールドスティンくんを見て》
おじいさんとおばあさんは泣いて反対しました。
ついには桃太郎の熱意に折れ、きび団子を作って送り出します。
《その横の、トイレから戻って来た長谷川信弘くんを見て》
おばあさんの作ってくれたきび団子を腰にぶら下げ鬼ヶ島へと出発しました。
「桃太郎さん、どこへ行くのですか?」
《その横の、居眠りしてる廣瀬光宣くんを睨《にら》んで》
「鬼ヶ島へ、鬼退治に行くんだ」
イヌはきび団子をもらい、桃太郎のお供になりました。
《その横の、片想い中の、西山ひとみさんは……見れない》
《以下省略》

【練習問題】かぐや姫を聴衆の目を6秒ずつ見ながら音読してみよう

ステップ40

変な動きしてるってわかってる？

「Ⅷ　無駄を削除する技術」　難易度★★☆

【自分の変な動きを知る】

プレゼン中、自分が変な動きをしてるってわかってますか？
変な動きって、別に、江頭2：50さんのような動きではないですよ。
個人的には江頭2：50さんは大好きなんですけどね。
たとえば、僕だったら、体が左右に揺れるクセがあるんです。
恥ずかしいですが、意識しないと今でもすぐ出ちゃいます。
もう1つは、緊張するとまばたきが多くなります。
これも、なかなか直りません。
こういうのをここでは「変な動き」っていうことにしています。
どうですか？

こんなのやってませんか？
他にもいろんな癖があります。
たとえば、話してる途中、服の裾《すそ》をずっといじっている癖。
しきりにベルトや時計を触る癖。
片足重心になる癖。
頭や耳、鼻を触る癖。
目を閉じて話す癖。
天井や床ばかり見る癖。
爪で指を押さえる癖、とかね。

【自分の変なクセは直す】

ハッキリ言いますが、これ、直したほうがいいです。
なぜなら、聴衆はそれが気になって話の内容が頭に入ってこないからです。
できれば即、直しましょう。
ただ、これは自分ではどうしても気づかないので、一人では直しようがないんです。
だから誰かに指摘してもらってください。

親友の前に立ってプレゼンの練習をしてください。

そして、

「お前、プレゼン中、何気に鼻ほじってるよ」

って指摘してもらってください。

ショックかもしれませんが、そうすれば癖も直るし、友情も芽生える（？）し、一石二鳥です。


【「え～」「あ～」「う～」が多くない？】


発言する前に、「え～」「あ～」「う～」って間延びする人、いますよね。

恥ずかしながら、僕も「え～」ってよく言ってしまいます。

こういうのも聴衆はだんだん気になってきます。

一度気になり始めたら、耳障りに感じて、話を聞きたくなくなってしまいます。

直しましょうと言いたいところですが、これも残念ながら自分では気がつきません。

ただ、解決法は簡単。

スマホで自撮りをしたらいいんです。

一発で自分の癖がわかります。

【「え〜」「あ〜」「う〜」は「間」に変える】

それでもどうしても「え〜」「あ〜」「う〜」が出てしまいそうになる方。朗報です。

「え〜」「あ〜」「う〜」を言いたくなったら、「黙る」という技があります。

「間」が怖いから「え〜」っと言ってしまうのでしょうが、ここはあえて黙る。するとそれが「間」になって、逆に重みのあるプレゼンになるんです。

昔のＣＭを思い出しましょう。

「男は黙ってサッポロビール！」

……今回の主旨と合っていませんが、とにかく黙ることは良いことでもあるのです。

【見本】 桃太郎を読みながら変なクセをチェックする

《手は横に自然体になっていますか？》

むかしむかし、あるところにおじいさんとおばあさんがいました。

《聴衆以外見たらあきませんよ》

おじいさんは山へ芝刈りに、おばあさんは川へ洗濯に行きました。

《目を閉じて話してませんか?》
おばあさんが川で洗濯していると、大きな桃が流れてきました。
《体が左右に揺れてませんか?》
「おや、これは良いおみやげになるわ」
《爪をいじってませんか?》
おばあさんは大きな桃をひろいあげて、家に持ち帰りました。
《どちらかの足に重心が偏ってませんか?》
桃を食べようと割ったところ、元気な男の子が飛び出しました。
《頭、掻《か》いてませんか?》
桃太郎はすくすくと育ち立派な青年になりました。
《鼻、掻いてませんか?》
ある日、桃太郎は鬼退治に行くと言い出しました。
《首の後ろ、掻いてませんか?》
二人は反対しますが、ついには、きび団子を作って送り出します。
《「え～」って言ってませんか?》
きび団子を腰にぶら下げ鬼ヶ島へと出発しました。

《「あ～」って言ってませんか?》
旅の途中で、イヌに出会いました。
《「う～」って言ってませんか?》
「桃太郎さん、どこへ行くのですか?」
《「まあ」を連発してませんか?》
「鬼ヶ島へ、鬼退治に行くんだ」
《「ええと」を連発してませんか?》
「それでは、お腰に付けたきび団子を1つくださいな。お供しますよ」
《そろそろ姿勢が崩れてませんか?》
イヌはきび団子をもらい、桃太郎のお供になりました。
《背骨を伸ばしてシャンとしましょう》
その後、サル、キジが順番に現れ、きび団子を欲しがります。
《由香里さんのほうばっかり見ていませんか?》
桃太郎は、イヌと同じようにきび団子を分け与えます。
《服の裾触るのをやめましょう》
イヌ、サル、キジの3匹と桃太郎は船で鬼ヶ島へと向かいます。

《まばたき、多すぎません？》

鬼ヶ島では鬼たちが酒盛りの真っ最中でした。

《天井を見ないようにしましょう》

奇襲を仕掛けた桃太郎と3匹の家来は大勝利。

《体がちょっと傾いてますよ》

鬼が悪行を重ねて集めた宝物を台車で引き村へと持ち帰りました。

《さあ、ラスト！　加山雄三さんくらい堂々と》

おじいさんとおばあさんは、桃太郎の無事な姿を見て大喜びです。

《素晴らしい姿勢でしたよ！》

そして3人は、宝物のおかげでしあわせにくらしましたとさ。

【練習問題】かぐや姫を読みながら変なクセをチェックする

あとがき

本書を読み終えていただきありがとうございました。

今回、プレゼンテーションにおける40個のテクニックをお伝えしました。

この40個のうち何か1つでも参考になり、それが皆様の次回行なわれるプレゼンの役に立てば、これ以上の嬉しいことはありません。

どうぞ、どんどん使っていただきご自身の納得のいく技に磨いていってください。

そして、いつの日か皆様のプレゼンを、私が一聴衆として聞かせていただける日が来ることを楽しみにしています。


最後に、本書にかかわってくださったすべての方に感謝申し上げます。

まず、刊行までのすべての業務を担当してくださった、ぱる出版の瀧口孝志様に心から感謝いたします。

さらに、瀧口様との出会いの機会を提供してくださった出版プロデューサーの小山睦男様にも厚く御礼申し上げます。

なお、１００年以上の歴史を誇る最高峰のカーネギーコースでプレゼン技術を教えてくださったデール・カーネギー・トレーニング西日本の代表取締役北郷和也様、取締役の福山由美様にも本当にお世話になりました。いつもありがとうございます。

また、原田教育研究所の原田隆史先生をはじめとするスタッフの方々には、原田メソッドの魂である「オープンウィンドウ64」の使用を許可していただき、本当に感謝しております。ありがとうございます。

そして、20年間プレゼンのスキルを磨く環境を与えてくださった株式会社エルフの林良政会長 をはじめとするスタッフの方々、御礼申し上げます。

最後に、私のプレゼンスキルを磨いてくださったのは何をおいても教え子の諸君、あなた方です。皆様方への指導を通じて私自身を高めることができ本書を世の中に出すことができました。本当にありがとうございました。

２０２０年10月

名村拓也

名村 拓也（なむら たくや）

プレゼン塾代表。デール・カーネギー・トレーニング西日本トレーナー。原田教育研究所 原田メソッド認定パートナー。1974年、兵庫県姫路市生まれ。同志社大学商学部卒業。大学卒業後、㈱キーエンスで営業力を身につける。「ビジネスの世界では学力以上に鍛えておかなければならない力が存在する」ことを実感し、塾の教壇で人間力の向上を目指した授業を学生に向けて20年間行う。これまで指導生徒数3,000人超。登壇授業時間30,000時間を超える。プレゼン力の重要性に気づき、人間関係力・プレゼン力を鍛える世界的研修機関デール・カーネギー・トレーニングで学ぶ。コーチを務めトップビジネスパーソンの1,000回以上のプレゼンを学び、2019年トレーナー試験に合格。中高大学生向けのプレゼン塾で若者のプレゼン力を養成。

◎人間関係力・プレゼン力を鍛える世界的研修機関
「デール・カーネギー・トレーニング西日本」
https://dalecarnegie-wj.com/

◎中高大学生向けのプレゼン養成機関
「プレゼン塾」
https://presen4020.com/

デール・カーネギー流《りゅう》
1分《ぶん》で惹《ひ》きつける プレゼンの技法《ぎほう》

2020年10月15日　初版発行
2023年 2 月 1 日　３刷発行

著　者　名村拓也
発行者　和田智明
発行所　株式会社 ぱる出版

〒160-0011　東京都新宿区若葉 1-9-16
03(3353)2835 — 代表　03(3353)2826 — FAX
03(3353)3679 — 編集
振替　東京 00100-3-131586
印刷・製本　中央精版印刷(株)

ISBN978-4-8272-1254-9 C0034